KU-321-949

DZIENNIK CWANIACZKA

RODRICK RZĄDZI

W SERII:

Dziennik cwaniaczka • Rodrick rządzi • Szczyt wszystkiego • Ubaw po pachy • Przykra prawda Biała gorączka • Trzeci do pary • Zezowate szczęście • Droga przez mękę • Stara bieda Ryzyk-fizyk • No to lecimy • Jak po lodzie Totalna demolka • Zupełne dno • Krótka piłka Dziennik cwaniaczka. Zrób to sam!

PRZECZYTAJ TAKŻE:

Dziennik Rowleya. Zapiski chłopca o złotym sercu

Teraz Rowley. Ahoj, przygodo!

Rowley przedstawia. Strasznie straszne opowieści

DZIENNIK CWANIACZKA

RODRICK RZĄDZI

Jeff Kinney

Tłumaczenie
Anna Nowak

Nasza Księgarnia

Tytuł oryginału angielskiego: *Diary of a Wimpy Kid: Rodrick Rules*

Wimpy Kid Text and Illustrations Copyright © 2008 Wimpy Kid, Inc.
DIARY OF A WIMPY KID and Greg Heffley cover image are trademarks of Wimpy Kid, Inc.
First published in the English language in 2008
by Amulet Books, an imprint of Harry N. Abrams, Incorporated, New York

Original English title: *Diary of a Wimpy Kid: Rodrick Rules*
(All rights reserved in all countries by Harry N. Abrams, Inc.)

© Copyright for the Polish edition by Wydawnictwo „Nasza Księgarnia", Warszawa 2009

© Copyright for the Polish translation by Anna Nowak, 2009

DLA JULIE, WILLA I GRANTA

WRZESIEŃ

Poniedziałek

Mama była chyba z siebie bardzo zadowolona, kiedy w zeszłym roku zmusiła mnie do prowadzenia dziennika, bo teraz kupiła następny.

Pamiętacie, jak napisałem, że jeśli jakiś bałwan zobaczy mnie z zeszytem podpisanym „pamiętnik", to na pewno źle wszystko zrozumie? I tak właśnie stało się dzisiaj.

Skoro Rodrick wie, że mam kolejny dziennik, muszę pamiętać, żeby dobrze go chować. Kilka tygodni temu Rodrick dorwał mój stary dziennik i to była katastrofa. Nie chcę nawet o tym mówić.

Zresztą nawet bez problemów z Rodrickiem miałem parszywe wakacje.

Moja rodzina nigdzie nie pojechała i nie robiła nic fajnego. To wszystko wina taty. Znowu kazał mi wstąpić do sekcji pływackiej i nie chciał, żebym w tym roku opuścił chociaż jeden trening.

Tata ubzdurał sobie, że kiedyś zostanę wielkim pływakiem albo kimś podobnym, więc każdego lata zapisuje mnie do sekcji pływackiej.

Kilka lat temu, podczas pierwszego treningu, tata powiedział mi, że kiedy sędzia wystrzeli z pistoletu startowego, mam dać nura do wody i zacząć płynąć.

Niestety NIE powiedział, że pistolet startowy strzela tylko ŚLEPAKAMI.

Dlatego dużo bardziej martwiłem się tym, w co trafi pocisk, niż tym, żeby dopłynąć do drugiego końca basenu.

Nawet kiedy tata wyjaśnił mi już, o co chodzi z tym pistoletem, nadal byłem najgorszym pływakiem w drużynie.

Co prawda pod koniec lata, podczas rozdania nagród, otrzymałem dyplom za „Największe postępy", ale tylko dlatego, że między moim pierwszym i ostatnim wyścigiem było dziesięć minut różnicy.

I chyba dlatego tata ciągle czeka, żebym wykorzystał swój potencjał.

Sekcja pływacka była gorsza niż chodzenie do szkoły. I to z kilku powodów.

Po pierwsze, codziennie musieliśmy się meldować na basenie o 7.30 rano, a woda była LODOWATA.

Po drugie, tłoczyliśmy się na dwóch torach, więc zawsze miałem na karku kogoś, kto próbował mnie wyprzedzić.

Mieliśmy dla siebie tylko dwa tory, bo nasz trening odbywał się w tym samym czasie co zajęcia aqua aerobiku.

Próbowałem nawet przekonać tatę, żeby pozwolił mi zapisać się na aerobik zamiast do sekcji pływackiej, ale nie było takiej opcji.

Tego lata trener po raz pierwszy pozwolił nam nosić dłuższe spodenki zamiast obcisłych gaci. Ale mama uznała, że stare kąpielówki po Rodricku są „w zupełnie dobrym stanie".

Po treningu Rodrick przyjeżdżał po mnie furgonetką swojej kapeli. Mama ubzdurała sobie, że jeśli Rodrick i ja codziennie „spędzimy trochę czasu razem", to nie będziemy się tak żreć. Ale w efekcie jest jeszcze gorzej.

Rodrick zawsze spóźniał się pół godziny. I nie pozwalał mi siadać z przodu. Mówił, że chlor zniszczy siedzenie, chociaż samochód ma z piętnaście lat.

Furgonetka Rodricka właściwie nie ma z tyłu żadnych siedzeń, więc musiałem się tam gnieść razem ze sprzętem kapeli. Oczywiście przy każdym hamowaniu modliłem się, żeby któryś z bębnów Rodricka nie urwał mi głowy.

W końcu postanowiłem wracać do domu na piechotę, a nie w furgonetce. Doszedłem do wniosku, że lepiej po prostu przejść te trzy kilometry, niż narażać się na uraz mózgu w samochodzie.

W połowie lata stwierdziłem, że mam już dosyć pływania, więc wymyśliłem sposób na urywanie się z treningów.

Przepływałem kilka długości, a potem pytałem trenera, czy mogę iść do ubikacji. I chowałem się w szatni do końca zajęć.

Mój plan miał jedną wadę – w męskiej szatni było najwyżej 5 stopni, czyli jeszcze zimniej niż na basenie.

Musiałem owijać się papierem toaletowym, żeby nie dostać hipotermii.

W ten sposób spędziłem znaczną część wakacji. I dlatego nie mogę się już doczekać początku roku szkolnego.

Wtorek

Kiedy przyszedłem dziś do szkoły, wszyscy wokół mnie zachowywali się bardzo dziwnie. Na początku nie miałem pojęcia, o CO chodzi.

Potem sobie przypomniałem: nadal miałem na sobie Serowy Dotyk z zeszłego roku. Zaraziłem się nim w ostatnim tygodniu zajęć i w ciągu lata ZUPEŁNIE o tym zapomniałem.

Niestety, Serowy Dotyk utrzymuje się, dopóki człowiek nie przekaże go komuś innemu. Jednak nikt nie zbliżał się do mnie nawet na dziesięć metrów, więc myślałem, że nie uwolnię się od Serowego Dotyku przez cały najbliższy rok szkolny.

Na szczęście mamy w szkole nowego chłopaka. Nazywa się Jeremy Pindle. Mój problem rozwiązał się sam.

Na pierwszej lekcji był wstęp do algebry, a nauczycielka posadziła mnie koło Aleksa Arudy, największego bystrzaka w moim roczniku.

Odpisywanie od Aleksa to BUŁKA Z MASŁEM, bo on zawsze kończy pisać test wcześniej niż wszyscy i odkłada swój arkusz na podłogę koło ławki. Więc jeśli kiedyś będę miał kłopoty, miło jest wiedzieć, że mogę zawsze liczyć na pomoc Aleksa.

Dzieciaki, których nazwiska zaczynają się na pierwsze litery alfabetu, są najczęściej wywoływane do tablicy i w efekcie wyrastają na najbystrzejsze.

Niektórzy ludzie w to nie wierzą, ale jeśli przyjdziecie kiedyś do mojej szkoły, udowodnię wam, że mam rację.

Znam tylko jednego dzieciaka, który nie poddał się tej regule. To Bill Uteger. Bill był najlepszy w moim roczniku aż do piątej klasy.

W piątej klasie zaczęliśmy mu dokuczać z powodu jego inicjałów i buczeć głośno, kiedy odpowiadał.

Teraz Bill W OGÓLE nie zgłasza się do odpowiedzi i dostaje głównie tróje.

Trochę mi głupio, że tak buczeliśmy i że to tak wpłynęło na Billa. Ale trudno jest nie przechwalać się tym przy każdej okazji.

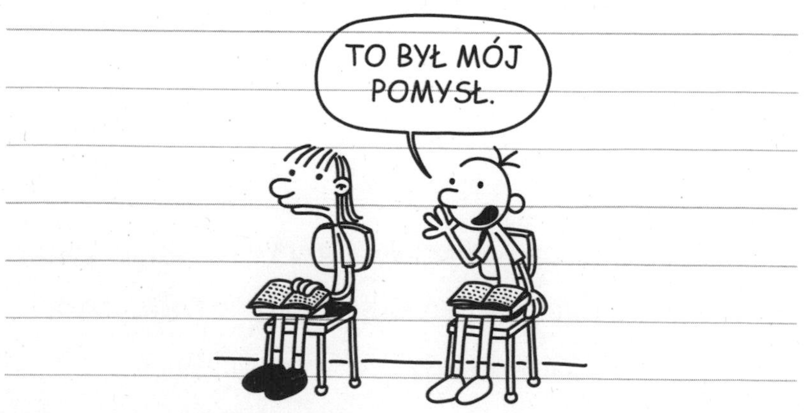

Dzisiaj trafiły mi się dobre miejsca właściwie na wszystkich lekcjach, nie licząc historii. Uczy mnie pan Huff i coś mi mówi, że kilka lat temu uczył też Rodricka.

Środa

Mama zmusza mnie i Rodricka, żebyśmy bardziej udzielali się w domu, i teraz obaj jesteśmy odpowiedzialni za mycie naczyń codziennie po kolacji.

Zasada jest taka: nie wolno nam oglądać telewizji ani grać na komputerze, dopóki nie umyjemy wszystkich naczyń. Ale wiecie co? Rodrick jest NAJGORSZYM partnerem do mycia naczyń na całym świecie.

Zaraz po kolacji idzie na górę do łazienki i siedzi tam przez godzinę. A kiedy wraca, wszystkie naczynia są już umyte. Przeze mnie.

A kiedy skarżę się mamie i tacie, Rodrick zawsze wykręca się w ten sam żałosny sposób:

Rodzice chyba za bardzo przejmują się teraz moim młodszym bratem, Mannym, żeby wtrącać się w nasze kłótnie.

Wczoraj Manny narysował w przedszkolu obrazek i rodzice strasznie się zmartwili, kiedy znaleźli go w plecaku.

Doszli do wniosku, że rysunek przedstawia ICH, więc teraz gruchają przy Mannym jak dwa gołąbki.

A ja wiem, że tak NAPRAWDĘ ten rysunek przedstawiał mnie i Rodricka. Kilka dni temu pobiliśmy się z powodu pilota do telewizora, a Manny wszystko widział. Ale mama i tata nie muszą znać prawdy.

Czwartek

Wakacje były do chrzanu z jeszcze jednego powodu - mój najlepszy kumpel Rowley prawie cały czas przebywał poza domem. Chyba poleciał do Ameryki Południowej czy gdzieś tam, ale jeśli mam być szczery, to nie jestem pewien.

Nie wiem, czy to źle o mnie świadczy, ale trudno mi interesować się cudzymi wakacjami.

Poza tym rodzina Rowleya zawsze jeździ w różne zwariowane miejsca, a ja nie mam już do tego głowy.

Te wycieczki Rowleya mało mnie obchodzą, bo kiedy tylko Rowley skądś wraca, strasznie się nimi przechwala.

W zeszłym roku Rowley i jego rodzina polecieli na dziesięć dni do Australii, ale kiedy wrócili, zachowywał się tak, jakby spędził tam całe życie.

Wkurza mnie jeszcze jedno - jak Rowley pojedzie do jakiegoś kraju, to zawsze dostaje hopla na punkcie mody, która tam właśnie panuje.

Jak dwa lata temu wrócił z Europy, mówił tylko o piosenkarzu, który nazywa się Joshie i chyba jest wielką gwiazdą. Rowley przywiózł z powrotem całe torby płyt Joshiego, jego plakatów i innego badziewia.

Przyjrzałem się zdjęciu i płycie i powiedziałem Rowleyowi, że Joshie śpiewa dla sześcioletnich dziewczynek, ale Rowley mi nie uwierzył. Stwierdził, że jestem zazdrosny, bo to on „odkrył" Joshiego.

Wkurzające było to, że ten gość stał się nowym bohaterem Rowleya. I jeśli tylko próbowałem go skrytykować, Rowley nawet nie chciał tego słuchać.

A skoro już mowa o zagranicy, to dzisiaj na francuskim Madame Lefrere powiedziała nam, że w tym roku wybierzemy sobie korespondencyjnych przyjaciół.

Kiedy Rodrick był w gimnazjum, korespondował z jakąś siedemnastolatką z Holandii. Wiem o tym, bo widziałem te listy w jego szufladzie na rupiecie.

Kiedy Madame Lefrere rozdała nam formularze, postarałem się zakreślić odpowiedzi, które załatwiłyby mi taką samą przyjaciółkę, jak ta od Rodricka.

Ale Madame Lefrere, po przeczytaniu mojego formularza, kazała mi wypełnić go jeszcze raz. Powiedziała, że muszę wybrać chłopca w moim wieku i to być MUSI być Francuz. Więc teraz nie obiecuję sobie zbyt wiele po tej korespondencji.

Piątek

Mama postanowiła zmusić Rodricka, żeby odbierał mnie po lekcjach, tak samo jak odbierał mnie z basenu. To chyba znaczy, że nie wyciągnęła żadnych wniosków z TAMTEGO doświadczenia. A ja owszem. I dlatego, kiedy Rodrick przyjechał po mnie pod szkołę, kazałem mu nie przeginać z hamowaniem.

Rodrick się zgodził, ale potem wychodził ze skóry, żeby namierzyć każdą szykanę w naszym mieście.

Kiedy wysiadłem z furgonetki, nazwałem Rodricka kretynem i zaczęliśmy się okładać. Mama zobaczyła całą sytuację przez okno.

Kazała nam wejść do środka i usadziła nas przy stole kuchennym. Potem oświadczyła, że ja i Rodrick będziemy musieli rozwiązywać nasze problemy „w cywilizowany sposób".

Powiedziała też, że obaj mamy opisywać wszystkie nasze złe zachowania i przy każdym rysować ilustrację. Doskonale wiem, skąd wzięła TEN pomysł.

Kiedyś była przedszkolanką i gdy jakieś dziecko zrobiło coś złego, kazała mu to narysować. Chodziło chyba o to, żeby dzieciak się zawstydził i nigdy więcej nie zrobił czegoś podobnego.

Może ta metoda sprawdziła się wśród czterolatków, ale jeśli mama chce, żebym dogadał się z Rodrickiem, będzie musiała wymyślić coś lepszego.

Prawda jest taka, że Rodrick może ze mną robić właściwie wszystko, bo wie, że nic na to nie poradzę.

Widzicie, tylko Rodrick wie o jednej NAPRAWDĘ obciachowej rzeczy, która przydarzyła mi się podczas wakacji. Teraz mnie tym szantażuje. Więc jeśli kiedyś go podkabluję, rozgłosi moją tajemnicę całemu światu.

Chciałbym mieć jakiegoś haka na NIEGO, żeby móc wyrównać rachunki.

WIEM o nim jedną żenującą rzecz, ale to mi się raczej nie przyda.

Kiedy Rodrick był w drugiej klasie liceum, rozchorował się w dniu robienia zdjęć do szkolnego albumu. No i mama powiedziała tacie, żeby wysłał do szkoły zdjęcia Rodricka z pierwszej klasy.

Nie pytajcie mnie, jak tata to schrzanił, ale wysłał im zdjęcie Rodricka z drugiej klasy PODSTAWÓWKI.

Wierzcie lub nie, to zdjęcie znalazło się w albumie.

Niestety Rodrick miał na tyle oleju w głowie, żeby wyrwać tę stronę z albumu, więc jeśli zechcę kiedyś znaleźć coś na niego, będę się musiał nieźle naszukać.

Środa

Odkąd mama kazała mnie i Rodrickowi myć naczynia, tata chodzi po kolacji do kotłowni, żeby pracować nad miniaturowym polem bitwy z czasów wojny secesyjnej.

Spędza tam przynajmniej trzy godziny każdego wieczora. Myślę, że byłby w siódmym niebie, gdyby mógł dłubać przy tym przez cały weekend, ale mama ma dla niego INNE plany.

Mama lubi wypożyczać różne komedie romantyczne i zmusza tatę, żeby je z nią oglądał. Ale ja wiem, że on czeka tylko na pierwszą lepszą okazję, żeby dać nogę i wrócić do piwnicy.

Kiedy tata nie może pójść do kotłowni, nie pozwala nam tam zaglądać. NIGDY nie dopuściłby mnie ani

Rodricka w pobliże makiety, bo uważa, że na bank coś byśmy tam popsuli.

Dziś rano podsłuchałem, jak tata rozmawia z Mannym i JEMU także zabrania wściubiać tam nos.

Sobota

Dziś przyszedł Rowley. Tata nie lubi, kiedy Rowley mnie odwiedza, bo twierdzi, że Rowley „ma skłonność do wypadków". To chyba dlatego, że gdy kiedyś jadł u nas kolację, upuścił talerz i stłukł go.

I teraz tata uważa, że Rowley zdemoluje mu to całe pole bitwy jednym niezdarnym ruchem.

Za każdym razem, kiedy Rowley przychodzi do naszego domu, słyszy to samo powitanie:

Tata Rowleya też za mną nie przepada. Dlatego ostatnio nie chodzę tam zbyt często.

Ostatnim razem, kiedy zostałem na noc u Rowleya, obejrzeliśmy film, w którym dzieciaki wymyśliły tajemny język, którego nie rozumiał żaden dorosły.

TŁUMACZENIE: PUNKT CZTERNASTA TRZYDZIEŚCI WSZYSCY ZRZUCAMY KSIĄŻKI NA PODŁOGĘ.

Uznaliśmy, że to czadowy pomysł, i próbowaliśmy nauczyć się tego samego języka, którym mówiły dzieciaki w filmie.

Niestety, to nam się nie udało, więc wymyśliliśmy WŁASNY tajemny język.

Tata Rowleya chyba złamał nasz kod, bo wysłał mnie do domu jeszcze przed deserem. Od tego czasu nie zostałem już zaproszony na noc.

Kiedy Rowley przyszedł dziś do mnie, przyniósł masę swoich zdjęć z wakacji. Powiedział, że najfajniejsze było rzeczne safari, i pokazał mi rozmazane fotki ptaków i takich tam.

Wiecie co? Mnóstwo razy byłem w wesołym miasteczku. Mają tam karuzelę „Rzeczny rajd" i czadowe roboty zwierzęta, na przykład goryle i dinozaury.

Moim zdaniem rodzice Rowleya mogli zaoszczędzić trochę kasy i zabrać go właśnie tam.

Oczywiście Rowley nie chciał słuchać o MOICH doświadczeniach, więc pozbierał zdjęcia i poszedł do domu.

Dziś po kolacji mama zmusiła tatę do oglądania jednego z filmów, które wypożyczyła, ale tata marzył tylko o tym, żeby zająć się swoją makietą.

Kiedy mama wstała i poszła do łazienki, tata upchał pod kocem kilka poduszek, żeby jego strona łóżka wyglądała, jakby na niej spał.

Mama zorientowała się dopiero po filmie. Kazała tacie wrócić do łóżka, chociaż było dopiero wpół do dziewiątej.

A teraz w łóżku rodziców sypia Manny, który boi się potwora mieszkającego w kotłowni.

Wtorek

Myślałem, że Rowley da już sobie siana z gadaniem o wakacjach, ale nie. Wczoraj na wiedzy o społeczeństwie nauczycielka poprosiła go, żeby opowiedział klasie o swojej podróży, i dzisiaj Rowley przyszedł do szkoły w idiotycznym stroju. A potem było jeszcze gorzej: kilka dziewczyn podeszło do niego podczas lunchu i zaczęło mu się podlizywać.

Wtedy przyszło mi do głowy, że może jednak nieźle się złożyło. No i zacząłem oprowadzać Rowleya po stołówce, bo to przecież MÓJ najlepszy kumpel.

Sobota

Od kilku tygodni tata zabiera mnie w każdą sobotę do centrum handlowego. Na początku myślałem, że chce spędzić ze mną więcej czasu. Ale potem skapowałem się, że tata po prostu nie chce siedzieć w domu podczas prób kapeli Rodricka. Doskonale go rozumiem.

Rodrick i jego heavymetalowa kapela mają próby w naszej piwnicy. W każdy weekend.

Wokalistą w zespole jest gość, który nazywa się Bill Walter. Tata i ja wpadliśmy dziś na niego w drzwiach.

Bill nie pracuje i nadal mieszka z rodzicami, chociaż ma już trzydzieści pięć lat.

Wiem, czego tata boi się najbardziej. Tego, że Rodrick uzna Billa za swój wzór i będzie chciał go naśladować. Więc za każdym razem kiedy widzi Billa, przez resztę dnia jest w fatalnym humorze.

Rodrick zaprosił Billa do kapeli, bo kiedy Bill był w liceum, dostał tytuł gościa, który „kiedyś zostanie gwiazdą rocka".

Oni kiedyś zostaną gwiazdami rocka

Bill Walter Anna Wrentham

Bill jakoś nie został jeszcze gwiazdą rocka. A z tego co wiem, Anna Wrentham siedzi w pudle.

No więc tata i ja poszliśmy dziś na kilka godzin do centrum handlowego, ale kiedy wróciliśmy, próba kapeli Rodricka nadal trwała. Już z sąsiedniej ulicy słychać było gitary i bębny, a po naszym podjeździe snuło się kilku obcych nastolatków.

Pewnie usłyszeli muzykę z naszej piwnicy i zlecieli się tu jak ćmy ciągnące do świecy.

Kiedy tata zobaczył ich wszystkich na naszym podjeździe, odbiła mu TOTALNA szajba.

Wbiegł do domu, żeby wezwać gliny, ale mama powstrzymała go, zanim wystukał numer. Powiedziała, że te nastolatki nie robią nic złego, tylko „podziwiają" muzykę Rodricka. Nie mam pojęcia, jak udało jej się powiedzieć to z poważną miną. Gdybyście usłyszeli kiedyś kapelę Rodricka, wiedzielibyście, o co mi chodzi.

Przez tych nastolatków na podjeździe tata nie mógł się zrelaksować.

Dlatego poszedł na górę po magnetofon i puścił kasetę z muzyką klasyczną. Nie UWIERZYLIBYŚCIE, jak szybko nasz podjazd opustoszał po tym koncercie.

Tata był naprawdę dumny ze swojego pomysłu, ale mama oskarżyła go o celowe odstraszanie „fanów" Rodricka.

Niedziela

Dzisiaj w drodze do kościoła robiłem miny, żeby rozśmieszyć Manny'ego. Jedna rozśmieszyła go tak bardzo, że Manny zakrztusił się sokiem.

Ale wtedy mama oświadczyła:

Jak tylko to powiedziała, Manny się przejął i było po zabawie.

Widzicie? Właśnie dlatego trzymam się od niego z daleka. Kiedy tylko próbuję go zabawić, zawsze tego potem żałuję.

Pamiętam, że jak byłem młodszy i rodzice powiedzieli mi o młodszym braciszku, STRASZNIE się ucieszyłem.

Rodrick poniewierał mną przez całe lata. Teraz byłem gotowy, żeby wspiąć się na kolejny szczebel rodzinnej drabiny.

Ale rodzice ciągle chuchają i dmuchają na Manny'ego i nie pozwalają mi go tknąć, nawet jeśli naprawdę na to zasługuje.

Na przykład parę dni temu włączyłem swoją konsolę do gier i okazało się, że nie działa. Zajrzałem do środka i znalazłem czekoladowego herbatnika, którego Manny wetknął do napędu.

Oczywiście Manny posłużył się tą samą wymówką, której używa ZAWSZE, kiedy popsuje moje rzeczy.

Chciałem złoić mu skórę, ale nie mogłem tego zrobić, bo mama stała tuż obok.

Obiecała mi, że „porozmawia sobie" z Mannym, i zeszła z nim na dół. Pół godziny później przyszli razem do mojego pokoju. Manny trzymał coś w rękach.

I dał mi kulę zgniecionego sreberka z powbijanymi w nią wykałaczkami.

Nie pytajcie mnie, w jaki sposób miało to zastąpić popsutą konsolę. Chciałem wywalić ten badziew, ale mama nawet TEGO nie pozwoliła mi zrobić.

Przy pierwszej okazji to coś wyląduje w koszu. Wiem, co mówię. Jeśli tego nie wyrzucę, w końcu na tym usiądę.

Manny doprowadza mnie czasem do szału, ale z JEDNEGO powodu lubię, kiedy jest blisko. Odkąd nauczył się mówić, Rodrick przestał mnie zmuszać, żebym sprzedawał batoniki czekoladowe w ramach akcji charytatywnych organizowanych u niego w szkole. Wierzcie mi, za TO jestem naprawdę wdzięczny.

KIEDYŚ...

TERAZ...

Poniedziałek

Madame Lefrere kazała nam dzisiaj pisać listy do naszych korespondencyjnych przyjaciół. Dostał mi się koleś, który nazywa się Mamadou Montpierre. Pewnie mieszka gdzieś we Francji.

Wiem, że powinienem pisać po francusku, a Mamadou po angielsku, ale jeśli mam być szczery, pisanie w obcym języku to ciężka robota.

I dlatego nie bardzo rozumiem, czemu obaj mielibyśmy stresować się z powodu tego całego projektu.

Drogi Mamadou,
Po pierwsze, uważam, że obaj powinniśmy pisać po angielsku, żeby było prościej.

Nawiasem mówiąc, pamiętacie może, jak napisałem, że któregoś dnia usiądę na tym kolczaku od Manny'ego? No i częściowo miałem rację.

Rowley wpadł dziś, żeby pograć na komputerze, i to ON usiadł na kolczaku.

Prawdę powiedziawszy, czuję ulgę. Parę dni temu kolczak gdzieś wsiąkł, więc cieszę się, że już się znalazł.

W całym tym zamieszaniu wyrzuciłem „prezent" od Manny'ego do śmieci. Coś mi mówi, że tym razem mama by nie protestowała.

Środa

Rodrick ma jutro oddać zadanie z angielskiego. Tym razem, wyjątkowo, mama pilnuje, żeby napisał je samodzielnie. Rodrick nie umie pisać na komputerze, więc zazwyczaj bazgrze na kartkach z zeszytu, a potem wręcza wszystko tacie.

Ale kiedy tata czyta wypracowania Rodricka, znajduje w nich masę błędów rzeczowych.

Rodrick nie przejmuje się błędami, więc mówi tacie, żeby przepisał wszystko jak leci.

Tylko że tata nie potrafi przepisać zadania z błędami, więc pisze je na nowo. A po kilku dniach Rodrick przynosi wypracowanie do domu i zachowuje się, jakby to było jego dzieło.

To się ciągnie już od kilku lat. Mama najwyraźniej postanowiła z tym skończyć. I dlatego dziś wieczorem powiedziała tacie, że Rodrick ma tym razem SAM napisać zadanie, a tata nie może mu pomagać.

Po kolacji Rodrick usiadł przy komputerze. Słyszałem, że pisze mniej więcej jedną literę na minutę.

Wiedziałem, że ten dźwięk doprowadza tatę do szału. W dodatku co dziesięć minut Rodrick odchodził od komputera i zadawał tacie durne pytania.

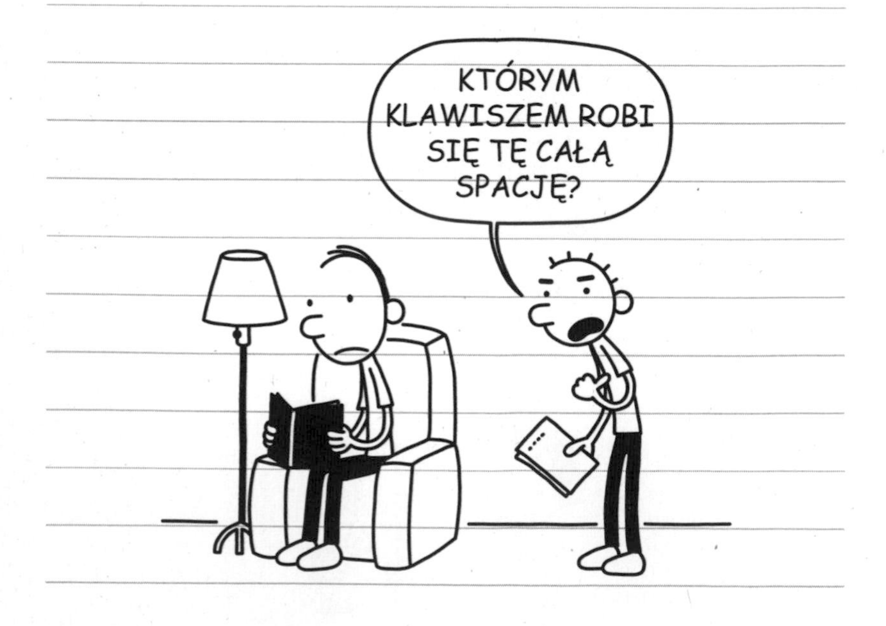

Po kilku godzinach tata w końcu wymiękł.

Odczekał, aż mama pójdzie do łóżka, i napisał całe zadanie za Rodricka. Wygląda na to, że system mojego brata działa. Przynajmniej na razie.

Ja mam oddać jutro recenzję książki, ale nie będę się przemęczał.

Już dawno temu odkryłem sposób na recenzję. Od pięciu lat wałkuję jedną i tę samą książkę: „Sherlock Sammy powraca".

Jest w niej ze dwadzieścia opowiadań, ale ja po prostu traktuję każde z nich jako osobną książkę. Nauczycielka w ogóle się nie kapnęła.

Wszystkie opowiadania o Sherlocku Sammym są identyczne. Jakiś dorosły popełnia przestępstwo, Sherlock Sammy rozwiązuje zagadkę i dorosły wychodzi na głupka.

W tej chwili jestem już właściwie specem od pisania recenzji tej książki. Trzeba tylko pisać dokładnie to, co chce przeczytać nauczycielka, a wszystko będzie dobrze.

Ten cały Sherlock Sammy jest bardzo bystry, pewnie dlatego, że czyta mnóstwo książek.

Na pewno masz rację!

W książce jest mnóstwo trudnych słów, ale sprawdziłem je w słowniku i teraz już wiem, co znaczą.

Widzę, że sam masz w sobie detektywa!

5+

PAŹDZIERNIK

Poniedziałek

W zeszłym roku kumplowałem się z takim jednym kolesiem, który nazywa się Chirag Gupta. W czerwcu wyprowadził się do innego miasta. Jego rodzice wydali wielkie przyjęcie pożegnalne dla wszystkich sąsiadów. Ale chyba zmienili zdanie, bo dzisiaj Chirag wrócił do szkoły.

Wszyscy ucieszyli się na jego widok, ale część z nas postanowiła ponabijać się z niego trochę przed oficjalnym powitaniem.

I dlatego udawaliśmy, że wcale go nie ma.

To była całkiem niezła zabawa.

Podczas lunchu Chirag usiadł koło mnie. W pudełku z kanapkami miałem dodatkowego herbatnika i zrobiłem z tego niezły teatr.

No dobra, może to było trochę wredne.

Pewnie jutro damy już Chiragowi spokój. Ale z drugiej strony ten numer może okazać się jeszcze lepszy niż kawały z BUUUUU!

Wtorek

Zabawa w Niewidzialnego Człowieka trwa i teraz przyłączyła się już cała KLASA. Nie chcę się za bardzo nakręcać, ale myślę, że dzięki temu pomysłowi tytuł „Klasowego Wesołka" mogę mieć w kieszeni.

Na chemii nauczycielka kazała mi policzyć uczniów, żeby mogła wyjąć ze schowka odpowiednią ilość okularów ochronnych.

No więc policzyłem głośno wszystkich w klasie.

Wszystkich, oprócz Chiraga.

To NAPRAWDĘ ruszyło Chiraga. Koleś wstał i zaczął krzyczeć. Ciężko było gapić się przed siebie i ignorować go.

Chciałem mu powiedzieć, że wszyscy o tym wiedzą, że po prostu jest NIEWIDZIALNYM człowiekiem. Ale ugryzłem się w język.

Zanim nazwiecie mnie złym kumplem, tylko dlatego, że dokuczałem Chiragowi, pozwólcie mi powiedzieć coś na moją obronę: jestem mniejszy od 95% ludzi w szkole, więc kiedy mam wybrać kogoś, komu mógłbym dokuczać, wybór jest ograniczony.

A poza tym nie jestem w stu procentach odpowiedzialny za ten numer. Wierzcie lub nie, ale to był pomysł mamy. Kiedyś, jak byłem mały, bawiłem się pod kuchennym stołem i mama zaczęła mnie szukać.

Nie wiem, co mnie naszło, ale postanowiłem wyciąć mamie numer i dalej się chować.

Mama obeszła cały dom, wołając mnie. Chyba w końcu zauważyła mnie pod stołem, ale udawała, że nie wie, gdzie jestem.

Uznałem, że to całkiem zabawne, i pewnie posiedziałbym jeszcze trochę pod stołem. Ale w końcu się złamałem, kiedy mama stwierdziła, że odda Rodrickowi mój automat z gumami do żucia.

Więc jeśli szukacie osoby odpowiedzialnej za żart z Niewidzialnym Człowiekiem, wiecie już, kogo winić.

Czwartek

Wczoraj Chirag prawie się poddał i przestał zagadywać ludzi z klasy. Ale dziś znalazł naszą piętę achillesową.

ZUPEŁNIE zapomniałem o Rowleyu. Na początku tej hecy trzymałem go z daleka od Chiraga, bo miałem przeczucie, że Rowley wszystko schrzani.

Ale potem chyba poczułem się zbyt pewnie i straciłem czujność.

Chirag zaczął urabiać Rowleya podczas lunchu i niewiele brakowało, a już by go złamał.

Widziałem, że Rowley zaraz coś powie, więc musiałem działać szybko. Powiedziałem wszystkim, że nad naszym stołem unosi się latający hot dog, a potem chwyciłem go i zjadłem na dwa kęsy.

I tak, dzięki mojemu refleksowi, mogliśmy dalej ciągnąć nasz kawał.

I wtedy Chirag NAPRAWDĘ się wkurzył. Zaczął walić mnie w ramię, ale ja oczywiście musiałem udawać, że go nie widzę.

Wiecie co? Wcale nie było mi łatwo. Chirag może i jest mały, ale tłucze jak zawodowiec.

Piątek

Chirag poskarżył się chyba nauczycielce i powiedział jej o naszym kawale, bo dzisiaj wezwali mnie do gabinetu dyrektora.

Kiedy wszedłem, zobaczyłem wicedyrektora Roya. Facet był wściekły. Wiedział już, że to ja wymyśliłem całą hecę, i wygłosił przemówienie na temat „szacunku", „przyzwoitości" i takich tam.

Na szczęście pomylił się w jednej ważnej sprawie. Chodziło o osobę, z której się nabijaliśmy. I dlatego znacznie łatwiej było mi przepraszać.

Pan Roy wyglądał na zadowolonego i pozwolił mi wyjść. Ani słowem nie wspomniał nawet o karze.

Słyszałem pogłoski, że kiedy pan Roy skończy już z uczniem, klepie go po plecach i odsyła z lizakiem. Teraz mogę to z całą pewnością potwierdzić.

Sobota

Jutro jest przyjęcie urodzinowe Rowleya, więc mama zabrała mnie do centrum handlowego, żeby kupić prezent. Wybrałem nową grę, która dopiero co pojawiła się w sklepach, i podałem mamie, żeby za nią zapłaciła. Ale mama powiedziała, że muszę kupić prezent za WŁASNE pieniądze.

Powiedziałem jej, że, po pierwsze, nie mam żadnych pieniędzy.

A po drugie, gdybym MIAŁ pieniądze, to na pewno nie marnowałbym ich na ROWLEYA.

Mama nie była zachwycona, ale to nie MOJA wina, że jestem spłukany. W wakacje trochę pracowałem, ale ludzie, którzy dali mi tę pracę, wystawili mnie i nie zarobiłem ani centa.

Mamy takich sąsiadów, państwa Fullerów. Mieszkają niedaleko i każdego lata wyjeżdżają na wakacje.

Swojego psa, Księżniczkę, zostawiają zwykle w schronisku, ale w tym roku powiedzieli, że zapłacą mi pięć dolców dziennie, żebym karmił Księżniczkę i wyprowadzał ją na spacery. Doszedłem do wniosku, że za takie pieniądze będę mógł kupić całą masę gier wideo.

Ale okazało się, że Księżniczka wstydzi się siusiać przy obcych, więc całymi godzinami stałem w upale i czekałem, aż ten głupi kundel skończy i ruszy się z miejsca.

Czekałem i czekałem, nic się nie działo, więc zabierałem Księżniczkę z powrotem do domu.

Tylko że po moim wyjściu Księżniczka za KAŻDYM razem paskudnie brudziła w holu i następnego dnia musiałem po niej sprzątać. Pod koniec lata zmądrzałem i doszedłem do wniosku, że dużo łatwiej będzie posprzątać wszystkie psie kupy za jednym zamachem, zamiast po jednej dziennie.

No więc karmiłem ją i pozwalałem jej załatwiać się w holu. I tak przez dwa tygodnie.

Na dzień przed planowanym powrotem Fullerów pojawiłem się u nich z całym naręczem rzeczy potrzebnych do sprzątania.

Ale zgadnijcie, co się stało? Fullerowie skrócili wakacje i wrócili jeden dzień WCZEŚNIEJ.

Chyba nikt ich nie nauczył, że dobrze wychowani ludzie dzwonią i uprzedzają innych o zmianie planów.

Dziś wieczorem mama wezwała mnie i Rodricka na naradę rodzinną. Powiedziała, że my dwaj zawsze narzekamy na brak pieniędzy, więc ona wymyśliła, jak możemy je zarobić.

Potem wyciągnęła zwitek zabawkowych pieniędzy, które pewnie wzięła z jakiejś gry planszowej. Nazwała je „mamodolarami". Powiedziała, że możemy zarobić mamodolary za pomaganie w domu, dobre uczynki i tym podobne rzeczy, a potem wymienić je na PRAWDZIWE pieniądze.

Na dobry początek wręczyła nam po 1000 mamodolarów. Myślałem, że nieźle się obłowiłem. Ale wtedy mama wyjaśniła, że jeden mamodolar ma wartość tylko jednego PRAWDZIWEGO centa.

Powiedziała nam, że powinniśmy oszczędzać mamodolary, a jeśli będziemy cierpliwi, to kupimy sobie rzeczy, o których marzymy. Ale Rodrick wymienił całą forsę, jeszcze zanim mama skończyła mówić.

Potem poszedł do sklepu i wydał wszystko na jakieś czasopisma heavymetalowe.

Jeśli Rodrick chce marnować w ten sposób swoje pieniądze, to proszę bardzo. Ale ja mam zamiar być cwany w sprawie MOICH mamodolarów.

Niedziela

Dzisiaj odbyło się przyjęcie urodzinowe Rowleya. Zorganizowano je w centrum handlowym. Na pewno bawiłbym się świetnie, gdybym miał siedem lat.

Taka właśnie była średnia wieku dzieciaków na przyjęciu. Rowley zaprosił wszystkich kolegów z zajęć karate, a większość z nich jest jeszcze w szkole podstawowej. Gdybym wiedział, jak to będzie wyglądać, w ogóle bym tam nie poszedł.

Zaczęło się od głupkowatych gier w ciuciubabkę i tym podobnych bzdur. Na koniec bawiliśmy się w chowanego.

Miałem zamiar schować się w basenie z piłkami i poczekać tam do końca przyjęcia. Niestety, siedział tam już jakiś INNY dzieciak.

Okazało się, że to nie jest jeden z gości Rowleya, tylko ktoś, kto przyszedł na POPRZEDNIE przyjęcie, które skończyło się godzinę wcześniej.

Pewnie schował się tam podczas zabawy w chowanego, tylko że nikt go nie ZNALAZŁ.

No i trzeba było przerwać przyjęcie Rowleya, bo organizatorzy musieli namierzyć rodziców tego dzieciaka.

Kiedy sytuacja się już wyjaśniła, zjedliśmy tort i patrzyliśmy, jak Rowley rozpakowuje prezenty. Dostał głównie zabawki dla dzieci, ale wyglądał na zadowolonego.

Potem Rowley dostał prezent od swoich rodziców. I wiecie co? To był PAMIĘTNIK.

To mnie naprawdę ruszyło, bo wiedziałem, że Rowley prosił rodziców o pamiętnik, żeby być taki jak ja. Kiedy rozpakował prezent, powiedział:

Dałem mu jasno do zrozumienia, co myślę o takim pomyśle: rąbnąłem go w ramię. Guzik mnie obchodzi, że to jego urodziny.

Jedno muszę przyznać. Kiedy mama kupiła mi pamiętnik, byłem na nią wściekły, bo wyglądał na babski. Ale teraz, kiedy zobaczyłem pamiętnik Rowleya, wściekam się znacznie mniej.

Ostatnio Rowley doprowadza mnie do SZAŁU. Czyta te same komiksy co ja, pije te same napoje i tak dalej. Mama twierdzi, że powinienem uznać to za „komplement", ale jeśli mam być szczery, zaczynam mieć porządnego pietra.

Kilka dni temu przeprowadziłem eksperyment, żeby zobaczyć, do czego posunie się Rowley.

Podwinąłem jedną nogawkę, obwiązałem kostkę bandaną i poszedłem tak do szkoły.

No i oczywiście następnego dnia Rowley przyszedł do szkoły identycznie ubrany.

Właśnie dlatego po raz drugi w tym tygodniu wezwał mnie wicedyrektor Roy.

Poniedziałek

Myślałem już, że upiekło mi się w sprawie Niewidzialnego Człowieka. Ale okazało się, że wcale nie. Dziś wieczorem do mamy zadzwonił TATA

Chiraga. Pan Gupta opowiedział mamie o żartach, które robimy sobie z jego syna, i nazwał mnie prowodyrem.

Kiedy mama zaczęła mnie przepytywać, powiedziałem jej, że nie mam pojęcia, o czym mówi ojciec Chiraga.

Wtedy mama zaprowadziła mnie do domu Rowleya, żeby dowiedzieć się, co ON ma do powiedzenia.

Na szczęście byłem na to przygotowany. Nauczyłem Rowleya, co ma mówić, gdybyśmy wpadli, i wyjaśniłem mu, że jeśli wszystkiemu zaprzeczymy, nic nam nie zrobią.

Tylko że kiedy mama zaczęła zadawać Rowleyowi pytania, ten po prostu pękł.

I dlatego po wizycie u Rowleya mama zawiozła mnie do Chiraga, żebym go przeprosił. Wierzcie mi, TO wcale nie było przyjemne.

Pan Gupta nie wyglądał na zachwyconego moimi przeprosinami, ale Chirag zachował się całkiem fajnie.

Kiedy go już przeprosiłem, zaprosił mnie do domu, żebym pograł z nim na komputerze. Pewnie mu ulżyło, że ktoś z klasy w końcu się do niego odzywa, więc postanowił wszystko mi wybaczyć.

Ja chyba też mu wybaczyłem.

Wtorek

Od wczoraj Chirag już się na mnie nie gniewa, ale mama jeszcze ze mną nie skończyła.

Nie była zła z powodu żartu czy sposobu, w jaki potraktowałem Chiraga. Była niezadowolona, bo ją OKŁAMAŁEM.

I dlatego powiedziała, że będę miał szlaban na MIESIĄC, jeśli znowu przyłapie mnie na kłamstwie.

To oznacza, że muszę się pilnować, bo mama nie zapomni o tej obietnicy. W kwestii moich błędów ma pamięć jak słoń.

(PIERWSZY RAZ: SZEŚĆ LAT TEMU)

W zeszłym roku przyłapała mnie na kłamstwie i musiałem za to zapłacić.

Tydzień przed Bożym Narodzeniem mama zrobiła domek z piernika i postawiła go na lodówce. Powiedziała, że nikomu nie wolno go tknąć aż do Wigilii.

Ale ja nie mogłem się powstrzymać i co wieczór zakradałem się na dół, żeby oderwać kawałek piernikowego domku. Za każdym razem starałem się zjeść mały kawałek, tak żeby mama niczego nie zauważyła.

Trudno było się powstrzymać i zjadać tylko jedną kropelkę lukru albo jeden okruszek dziennie, ale dałem radę.

Nie wiedziałem, ile tak naprawdę zjadłem, dopóki w Wigilię mama nie ściągnęła domku z lodówki.

Kiedy oskarżyła mnie o zjedzenie domku, zaprzeczyłem. A trzeba się było przyznać, bo to kłamstwo paskudnie się na mnie zemściło.

Jakiś czas wcześniej mama dostała pracę w lokalnej gazecie. Wypisywała tam rady dla rodziców, więc ciągle szukała dobrych tematów. No i ta cała historia rozsławiła mnie w okolicy.

Susan Heffley

Kiedy dziecko kłamie

Okres przedświąteczny może stać się źródłem stresu dla dziecka, które ulega nieprzewidywalnym pokusom. Mój syn, Gregory, odkrył, że...

Wiecie co? Jak się nad tym zastanowię, to dochodzę do wniosku, że mama WCALE nie jest taka strasznie uczciwa.

Kiedy byłem mały, mama odkryła, że nie myję zębów każdego wieczora. Udała, że dzwoni do dentysty. I z tego powodu po dziś dzień myję zęby cztery razy dziennie.

Piątek

Minęły już trzy dni, a ja nie złamałem słowa danego mamie. Przez cały czas byłem w stu procentach uczciwy. Wierzcie lub nie, to nie jest takie trudne.

Prawdę mówiąc, dzięki temu czuję się wolny. Znalazłem się już w kilku sytuacjach, w których byłem bardziej szczery, niż byłbym tydzień temu.

Na przykład ostatnio rozmawiałem z jednym kolesiem, który mieszka w sąsiedztwie i nazywa się Shawn Snella.

Wczoraj rodzina Rowleya urządzała przyjęcie urodzinowe dla dziadka.

Większość ludzi nie docenia mojej uczciwości. Nie pytajcie mnie więc, jakim cudem Jerzy Waszyngton został prezydentem.

Sobota

Dzisiaj odebrałem telefon od pani Gillman ze Stowarzyszenia Nauczycieli. Szukała mamy. Chciałem podać jej słuchawkę, ale mama szeptem kazała mi powiedzieć pani Gillman, że nie ma jej w domu.

Nie byłem pewny, czy mama nie próbuje namówić mnie podstępem do kłamstwa, ale z TAK głupiego powodu nie miałem zamiaru zrywać z uczciwością.

I dlatego zmusiłem mamę, żeby wyszła na werandę, a dopiero później odpowiedziałem pani Gillman.

Sądząc ze spojrzenia, które mama rzuciła mi po powrocie, nie będzie bez końca trzymać mnie za słowo w kwestii mówienia prawdy.

Poniedziałek

Dzisiaj w szkole był Dzień Karier. Organizują go co roku, żeby zmusić nas do myślenia o przyszłości.

Zaproszono masę dorosłych, którzy pracowali w różnych zawodach. Chodziło chyba o to, żebyśmy mogli wybrać zawód, który nam się spodoba. W ten sposób postanowimy, kim chcemy być, gdy dorośniemy.

Efekt jest taki, że człowiek dowiaduje się tylko, które zawody nie wchodzą w grę.

Po prezentacjach musieliśmy wypełnić ankiety. Pierwsze pytanie brzmiało: „Gdzie widzisz siebie za piętnaście lat?".

Ja wiem DOKŁADNIE, gdzie się znajdę za piętnaście lat: będę liczył pieniądze przy basenie w mojej posiadłości. Ale TAKIEGO wariantu nie było wśród odpowiedzi.

Ankiety służą do ustalania przyszłego zawodu. Kiedy skończyłem swoją, zajrzałem do odpowiedzi i okazało się, że zostanę urzędnikiem.

Coś musi być nie tak z tymi odpowiedziami, bo nie słyszałem o wielu urzędnikach miliarderach.

Inne dzieciaki też nie były zachwycone swoimi zawodami, ale pani powiedziała nam, żebyśmy nie traktowali tego wszystkiego zbyt poważnie.

Jasne, powiedzcie to Edwardowi Mealeyowi. W zeszłym roku wyszło mu, że zostanie „pracownikiem zakładu oczyszczania", i od tego czasu nauczyciele traktują go inaczej.

Rowleyowi wyszło, że zostanie pielęgniarzem. Wyglądał na zadowolonego. Jakieś dziewczyny dostały tę samą odpowiedź i po lekcjach wdały się w pogawędkę z Rowleyem.

Muszę pamiętać, żeby w przyszłym roku usiąść obok niego i odpisać odpowiedzi. W ten sposób też się załapię na miłe pogawędki.

Sobota

Rodrick i ja siedzieliśmy dziś w domu, więc mama posłała nas do babci, żebyśmy zagrabili liście.

Powiedziała, że zapłaci nam 100 mamodolarów za każdy wypełniony worek. A babcia obiecała gorącą czekoladę po pracy.

Nie chciało mi się pracować w sobotę, ale potrzebowałem forsy. Poza tym babcia robi fantastyczną gorącą czekoladę. Więc wzięliśmy z garażu grabie oraz plastikowe worki i kopnęliśmy się do babci.

Zająłem się jedną stroną podwórka, a Rodrick drugą. Ale już po dziesięciu minutach Rodrick przyszedł do mnie i powiedział, że wszystko robię nie tak, jak trzeba.

Stwierdził, że wpycham ZDECYDOWANIE za dużo liści do jednego worka i że jeśli zwiążę każdy worek bliżej dna, to szybciej skończę.

Właśnie takie rady POWINNO się dostawać od starszego brata.

Kiedy Rodrick pokazał mi tę sztuczkę, robota poszła nam piorunem. Prawdę mówiąc, skończyliśmy w pół godziny.

Babcia nie była zachwycona, że musi nam już dać gorącą czekoladę. Ale, jak to się mówi, umowa to umowa.

Poniedziałek

Od Dnia Karier Rowley je lunch z grupką dziewczyn, które siedzą w kącie stołówki. Pewnie założyli razem Stowarzyszenie Przyszłych Pielęgniarek Amerykańskich albo coś w ten deseń. Nie pytajcie mnie, o czym tam rozmawiają; ciągle szepczą i chichoczą jak pierwszaki.

Mam tylko nadzieję, że nie rozmawiają o MNIE.

Pamiętacie, jak powiedziałem wam, że tylko Rodrick wie, jaki obciach przydarzył mi się tego lata? No więc Rowley wie o DRUGIEJ takiej rzeczy i naprawdę nie potrzebuję, żeby to rozgłosił.

W piątej klasie mieliśmy projekt na hiszpańskim. Trzeba było odegrać skecz przed całą klasą. Moim partnerem był Rowley.

Cały skecz miał być po hiszpańsku. Rowley zapytał, co zrobiłbym za batonik, a ja powiedziałem, że stanąłbym na głowie.

Ale kiedy próbowałem to zrobić, zachwiałem się i przebiłem tyłkiem ścianę.

Dziury nigdy nie załatano, więc już do końca szkoły podstawowej odcisk mojego zadka można było podziwiać w pracowni pani Gonzales.

Jeśli Rowley rozgłosi tę historię, daję słowo, że powiem wszystkim, kto zjadł SER.

Środa

Dziś zdałem sobie sprawę, że jeśli chcę się dowiedzieć, o czym Rowley rozmawia z tymi dziewczynami podczas lunchu, muszę po prostu przeczytać jego PAMIĘTNIK. Na pewno spisuje tam różne smakowite plotki.

Problem w tym, że pamiętnik Rowleya jest zamykany na KŁÓDKĘ, więc nawet gdyby udało mi się go dorwać, nie mógłbym dostać się do środka. I wtedy przyszedł mi do głowy pomysł. Muszę kupić identyczny pamiętnik i wtedy będę miał kluczyk.

Dziś wieczorem poszedłem do sklepu i wziąłem z półki ostatni pamiętnik. Mam nadzieję, że mi się to opłaci, bo musiałem na niego wymienić połowę mamodolarów. Poza tym nie wydaje mi się, żeby tata był zachwycony faktem, że kupuję Pamiętnik Pełen Słodkich Sekretów.

Czwartek

Dziś po wuefie zobaczyłem, że Rowley przez przypadek zostawił pamiętnik na ławce. Kiedy zostałem sam, posłużyłem się nowym kluczykiem i oczywiście udało mi się otworzyć kłódkę.

Otworzyłem pamiętnik i zacząłem czytać.

Drogi Pamiętniczku.
Dziś znowu bawiłem się swoimi figurkami dinozaurów. Tym razem Mecharex walczył z Triceraclopsem i Mecharex ugryzł Triceraclopsa w ogon.

AU!
JEJKU!

A potem Triceraclops odwrócił się i powiedział: „Ciekawe, co powiesz na to!" i strzelił Mecharexa prosto w tyłek.

Przekartkowałem resztę zeszytu, żeby sprawdzić, czy jest tam gdzieś moje imię, ale znalazłem tylko całe strony podobnych bzdur.

Teraz, kiedy wiem już, co dzieje się w głowie Rowleya, zaczynam się zastanawiać, dlaczego ja się z nim w ogóle kumpluję.

<u>Sobota</u>

Przez ostatni tydzień w domu wszystko układa się całkiem nieźle. Rodrick ma grypę, więc nie jest w stanie mi dokuczać. A Manny jest u babci, więc mam telewizor dla siebie.

Wczoraj rodzice niespodziewanie coś ogłosili. Powiedzieli, że wieczorem wychodzą, a ja i Rodrick będziemy odpowiedzialni za dom.

To naprawdę wielka sprawa, bo NIGDY wcześniej nie zostawiali nas samych.

Moim zdaniem bali się, że jak tylko wyjdą, Rodrick urządzi gigantyczną imprezę i zdemoluje dom.

Ale teraz Rodrick ma grypę, więc rodzice postanowili z tego skorzystać. Mama wygłosiła przemówienie na temat „odpowiedzialności" i „zaufania", a potem wyszli.

JAK TYLKO zamknęli za sobą drzwi, Rodrick zerwał się z kanapy i chwycił za telefon. Obdzwonił wszystkich znajomych i powiedział, że urządza gigantyczną imprezę.

Myślałem, żeby zadzwonić do rodziców i powiedzieć im, co się święci, ale NIGDY wcześniej nie byłem na licealnej imprezie, więc chciałem wiedzieć, jak to jest. Postanowiłem trzymać gębę na kłódkę i dobrze się przyjrzeć.

Rodrick kazał mi przytargać z piwnicy składane stoliki i przynieść kilka worków lodu z zamrażarki na dole. Jego kumple zaczęli się schodzić około siódmej i nim się obejrzałem, ich samochody pozajmowały całą ulicę.

Pierwszym gościem był Ward, kumpel Rodricka. Potem zjawili się kolejni ludzie, a Rodrick powiedział mi, że potrzebujemy więcej stołów, więc zszedłem po nie na dół.

Kiedy tylko znalazłem się w piwnicy, usłyszałem, jak zatrzaskują się za mną drzwi.

Waliłem w drzwi, ale Rodrick puścił tylko głośniej muzykę, żeby zagłuszyć hałas. Utknąłem tam na dobre.

Rany, jak mogłem nie przewidzieć, że wytnie mi taki numer! Jak mogłem być taki głupi i pomyśleć, że Rodrick pozwoli mi się z nimi zabawić!

Sądząc z odgłosów, impreza była naprawdę szalona. W pewnym momencie przyszły chyba nawet jakieś PANNY, ale nie jestem pewien, bo trudno było połapać się we wszystkim, patrząc tylko na podeszwy cudzych butów.

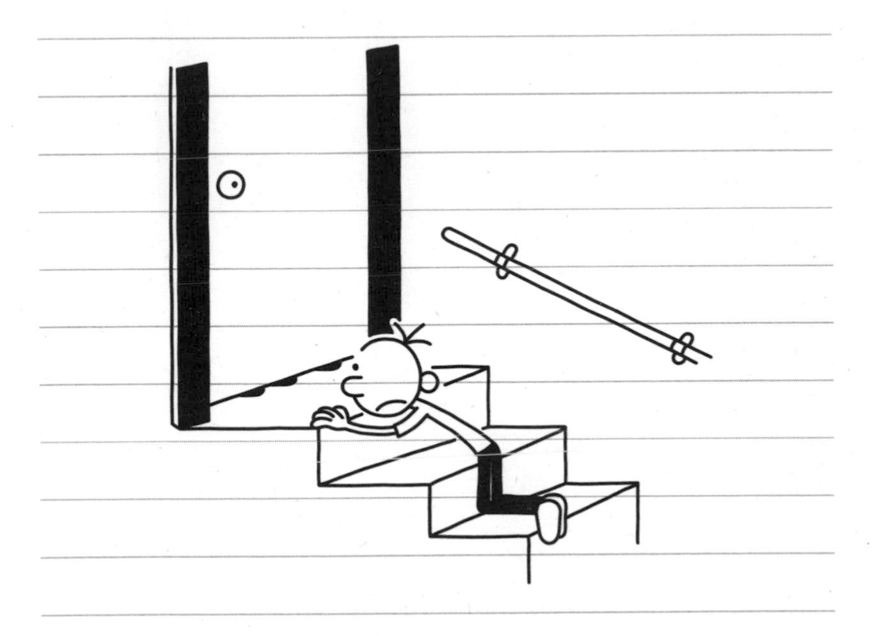

Impreza trwała w najlepsze jeszcze o drugiej w nocy, ale wtedy ja już się poddałem. Spędziłem noc na jednym z zapasowych łóżek w piwnicy, chociaż nie było tam nawet koca. Prawie zamarzłem na śmierć, ale nie było MOWY o tym, żeby wziąć koc z łóżka Rodricka.

Najwyraźniej w nocy ktoś otworzył drzwi do piwnicy, bo kiedy obudziłem się rano, były uchylone. A gdy wszyscy wyszli, Rodrick powiedział, że mam mu pomóc w sprzątaniu.

Ja na to, że chyba go pogięło, skoro liczy na moją pomoc. Ale wtedy Rodrick oświadczył, że jeśli będzie miał przechlapane z powodu imprezy, to pociągnie MNIE za sobą. Zagroził, że albo pomogę mu w porządkach, albo on opowie wszystkim moim znajomym o tym, co przydarzyło mi się podczas wakacji.

Nie mogłem uwierzyć, że zdecyduje się na taki cios poniżej pasa, ale zrozumiałem, że nie żartuje, więc wziąłem się do roboty.

Rodzice mieli wrócić przed siódmą, a my ciągle mieliśmy MNÓSTWO do zrobienia.

Trudno było usunąć wszystkie ślady po imprezie, bo kumple Rodricka naśmiecili w najdziwniejszych miejscach. W pewnym momencie chciałem przygotować sobie płatki z mlekiem. W pudełku znalazłem niedojedzony kawałek pizzy.

Za piętnaście siódma wszystko było już z grubsza jak należy. Poszedłem na górę, żeby wziąć prysznic, i wtedy zobaczyłem napis na wewnętrznej stronie drzwi do łazienki.

Próbowałem usunąć napis wodą i mydłem, ale ten, kto to zrobił, posłużył się niezmywalnym pisakiem.

Rodzice mogli wrócić lada chwila, więc myślałem, że mamy przerąbane. Ale wtedy Rodrick wpadł na genialny pomysł. Powiedział, że możemy zdjąć te drzwi i ZASTĄPIĆ je drzwiami do schowka w piwnicy.

Wzięliśmy śrubokręty i zabraliśmy się do pracy.

W końcu udało nam się zdjąć drzwi z zawiasów. Zanieśliśmy je do piwnicy. Potem wzięliśmy drzwi do schowka Rodricka z piwnicy i zabraliśmy je na PIĘTRO.

Skończyliśmy w ostatniej chwili. Samochód rodziców wjechał na podwórko w momencie, kiedy dokręcaliśmy ostatnią śrubę.

Widać było, że czują ulgę, bo dom nie spłonął podczas ich nieobecności.

Nie sądzę, żebyśmy byli już całkowicie bezpieczni. Dziś wieczorem tata wszędzie węszył i prędzej czy później wyczai, że była tu impreza.

Może jednak Rodrickowi tym razem się upiekło, ale powiem jedno: mój brat ma szczęście, że MANNY nie widział imprezy. Manny to STRASZNY skarżypyta. Donosi na mnie, odkąd nauczył się mówić. Opowiedział nawet o rzeczach, które zrobiłem, ZANIM nauczył się mówić.

Kiedy byłem mały, stłukłem zasuwane szklane drzwi w salonie. Rodzice nie mieli żadnego dowodu, że to moja sprawka, więc nie mogli mi nic zrobić, a ja byłem bezpieczny. Ale Manny był wtedy ze mną i dwa lata później rozpuścił jęzor.

Więc kiedy Manny zaczął mówić, musiałem zamartwiać się o wszystko, co nabroiłem, kiedy był malutki.

Sam byłem koszmarnym skarżypytą, ale dostałem nauczkę. Kiedyś doniosłem, że Rodrick powiedział brzydkie słowo. Mama zapytała, co to za słowo, więc je przeliterowałem. A słowo było długie.

No i skończyło się na tym, że mama za karę wyszorowała mi usta mydłem, bo umiałem przeliterować brzydkie słowo. A Rodrickowi się upiekło.

Poniedziałek

Jutro muszę oddać wypracowanie z angielskiego. Trzeba było umieścić w nim „alegorię".

Oznacza to po prostu historię, w której mówi się jedno, ale ma na myśli coś innego. Nie miałem żadnego pomysłu, ale kiedy zobaczyłem Rodricka pracującego przy swojej furgonetce, coś przyszło mi do głowy.

Rory psuj

Autor: Greg Heffley

Dawno temu był sobie małpiszon o imieniu Rory. Rodzina, u której mieszkał, uwielbiała go, chociaż Rory ciągle coś psuł.

Pewnego dnia Rory niechcący zadzwonił do drzwi, a wszyscy uznali, że zrobił to celowo. Dali mu więc w nagrodę kilka bananów.

Teraz Rory doszedł do wniosku, że jest małpim geniuszem albo czymś w tym stylu. Któregoś dnia usłyszał, jak jego właściciel mówi:

W prostym móżdżku Rory'ego zaczął powstawać plan. W końcu Rory wymyślił:

Pracował dzień i noc, ale wcale nie naprawił samochodu.

W efekcie Rory nauczył się czegoś bardzo ważnego: Rory jest małpą. A małpy nie naprawiają samochodów.

KONIEC

Kiedy skończyłem wypracowanie, pokazałem je Rodrickowi. Wiedziałem, że nie zrozumie, o co mi chodzi, i oczywiście miałem rację.

Mówiłem już, że Rodrick ma mnie w garści, bo zna mój „sekret". Dlatego muszę znaleźć własne sposoby, żeby mu dogryźć.

Środa

Dzisiaj Manny po raz pierwszy poszedł do przedszkola i najwyraźniej nie było tak różowo.

Wszystkie inne dzieciaki w przedszkolu Manny'ego zaczęły tam chodzić już we wrześniu. Ale Manny jeszcze do zeszłego tygodnia nie potrafił załatwiać się do nocnika, więc musiał czekać aż do teraz, żeby awansować ze żłobka.

W przedszkolu Manny'ego odbywała się dziś zabawa z okazji Halloween, więc nie był to najlepszy moment, żeby przedstawić go kolegom.

Przedszkolanki musiały zadzwonić do mamy i poprosić ją, żeby po niego przyszła.

Pamiętam SWÓJ pierwszy dzień w przedszkolu. Nikogo tam nie znałem, więc czułem się bardzo nieswojo przy tych wszystkich nowych dzieciakach. Ale wtedy podszedł do mnie jeden chłopak, Quinn, który zaczął ze mną rozmawiać.

Nie skapowałem, że to żart, i porządnie się przestraszyłem.

Oznajmiłem mamie, że nie wrócę już do przedszkola, i powtórzyłem jej to, co powiedział Quinn.

Ale mama wyjaśniła mi, że Quinn tylko tak głupio żartował, i poradziła, żebym go nie słuchał.

Po wyjaśnieniach mamy doszedłem do wniosku, że żart był całkiem zabawny. Nie mogłem się już doczekać, żeby pójść do przedszkola i zażartować z kogoś innego.

Ale efekt nie był taki sam.

Poniedziałek

Od imprezy Rodricka minął już tydzień, więc przestałem się martwić, że rodzice coś wykminią. Ale pamiętacie te wymienione drzwi do łazienki? Ja sam o nich zapomniałem. Aż do dziś.

Rodrick był w moim pokoju na piętrze i dokuczał mi, a tata wszedł do łazienki. Chwilę później powiedział coś, co zmroziło Rodricka.

Myślałem, że wpadliśmy. Jeśli tata dowiedziałby się o DRZWIACH, to bardzo szybko dowiedziałby się też o imprezie.

Ale tata nie złożył wszystkiego do kupy.

Wiecie co? Może nie byłoby tak źle, gdyby rodzice odkryli w końcu prawdę o imprezie. Rodrick dostałby szlaban, a to byłoby SUPER. Może uda mi się wymyślić jakiś sposób, żeby powiedzieć rodzicom i nie podpaść Rodrickowi. Jeśli tak, to chyba spróbuję.

Wtorek

Dostałem dziś pierwszy list od mojego francuskiego kolegi, Mamadou. Postanowiłem, że zmienię swoje nastawienie i porządnie się przyłożę do tej całej korespondencji. Dlatego odpisałem dziś Mamadou i spróbowałem mu jak najlepiej pomóc.

Cześć Gregory,
jestem zahwycony, że mogłem Cię poznać.

Mamadou

Cześć Mamadou,
Słowo „zachwycony" prawie na pewno pisze się przez „ch".
Uważam, że musisz bardziej się przyłożyć do nauki angielskiego.

Pozdrawiam, Greg

Moim zdaniem to idiotyczne, że Madame Lefrere nie pozwala nam pisać do siebie maili. Albert Murphy wymienił już ze swoim korespondencyjnym kumplem całą masę listów i obaj wydali kupę forsy na znaczki.

Cześć Jacques,
ile masz lat?

Cześć Albert,
12.

Cześć Jacques,
aha.

KOSZT: 14 DOLARÓW

Piątek

Dziś wieczorem rodzice Rowleya wybierali się na kolację, więc zatrudnili opiekunkę do dziecka.

Nie rozumiem, czemu Rowley nie mógłby zostać sam na kilka godzin, ale wierzcie mi, że nie będę narzekać. Opiekunką Rowleya jest Heather Hills, a to najładniejsza dziewczyna w Liceum Crossland.

Kiedy Jeffersonowie wychodzą, zawsze idę do Rowleya „na dobranockę".

Dziś około ósmej wieczorem poszedłem do Rowleya. Skropiłem się nawet wodą kolońską Rodricka, żeby zrobić dobre wrażenie na Heather.

Zapukałem do drzwi i poczekałem, aż Heather mi otworzy. Ale czekała mnie niespodzianka, bo zamiast niej w drzwiach stanął Leland, sąsiad Rowleya.

Nie mogę uwierzyć, że rodzice Rowleya zatrudnili LELANDA zamiast Heather. Mogli przynajmniej skonsultować się ze mną, zanim palnęli TAKĄ gafę.

Kiedy zrozumiałem, że nie ma Heather, zawróciłem do domu. Ale Rowley zapytał, czy nie chciałbym posiedzieć z nimi i zagrać w Czarodziei i Potwory.

Zgodziłem się, bo myślałem, że to jakaś gra wideo. Okazało się, że używa się ołówków, papieru i specjalnych kości i że trzeba posługiwać się „wyobraźnią" czy czymś tam.

Było całkiem fajnie, głównie dlatego, że grając w Czarodziei i Potwory, można robić różne rzeczy, których nie da się robić w prawdziwym świecie.

Po powrocie do domu opowiedziałem mamie o Czarodziejach i Potworach oraz o tym, że Leland jest naprawdę fantastycznym Strażnikiem Lochów. Rodrick podsłuchał to, co mówiłem o Lelandzie, i powiedział, że Leland jest największym kujonem w liceum.

I to mówi facet, który spędza sobotnie wieczory, rzucając sztuczne rzygi na samochody zaparkowane przed Castoramą. Coś mi się widzi, że opinii Rodricka nie trzeba traktować poważnie.

Środa

Codziennie po lekcjach chodzę do Lelanda, żeby pograć w Czarodziei i Potwory. Dziś też się tam wybierałem, ale mama zatrzymała mnie w progu.

Ma dziwne podejrzenia co do tej gry.

Zadaje mi mnóstwo pytań i chyba myśli, że Leland uczy mnie i Rowleya czarnej magii albo czegoś w tym stylu. No i dzisiaj powiedziała, że chce pójść ZE mną do Lelanda i zobaczyć, jak gramy.

BŁAGAŁEM ją, żeby tego nie robiła. Po pierwsze, wiedziałem, że nie pochwalałaby przemocy w naszej grze.

A po drugie, byłem pewien, że jej obecność kompletnie popsułaby nam zabawę.

Moje błagania sprawiły, że mama zrobiła się jeszcze BARDZIEJ podejrzliwa. No i teraz nie ma mowy, żeby zmieniła zdanie.

Rowley i Leland zupełnie się nią nie przejęli. Ale ja nie miałem żadnej frajdy, bo grając przy mamie, czułem się jak totalny kretyn.

Myślałem, że mama w końcu się znudzi i sobie pójdzie, ale ona nadal z nami siedziała. I kiedy wydawało mi się, że wreszcie pójdzie, powiedziała, że SAMA chce z nami zagrać.

Leland zaczął wymyślać dla niej nową postać, chociaż próbowałem dać mu do zrozumienia, że to fatalny pomysł.

Kiedy Leland stworzył jej postać, mama powiedziała mu, że JEJ postać ma być mamą MOJEJ postaci w grze.

Szybko ruszyłem głową i wyjaśniłem mamie, że wszystkie postaci w Czarodziejach i Potworach są sierotami, więc nie może być moją mamą.

Uwierzyła mi. Ale zaraz potem zapytała Lelanda, czy jej postać może mieć na IMIĘ „Mama", a on się zgodził.

Jestem pod wrażeniem, że znalazła taki cwany sposób, ale zupełnie schrzaniła mi resztę zabawy.

Z technicznego punktu widzenia mama nie była moją mamą w grze, ale ZACHOWYWAŁA się dokładnie tak, jakby nią była.

W pewnym momencie nasze postaci siedziały w oberży i czekały na szpiega. Mój karzeł, Grimlon, zamówił kwartę pitnego miodu. W Czarodziejach i Potworach pitny miód to taki rodzaj piwa. Mamie się TO chyba nie spodobało.

Najgorzej było, kiedy zaczęliśmy odgrywać scenę bitwy. Widzicie, w Czarodziejach i Potworach chodzi przede wszystkim o to, żeby zabić jak najwięcej potworów, dostać punkty i przejść na wyższy poziom.

Ale mama chyba tego nie skumała.

Po jakiejś godzinie takich numerów postanowiłem dać sobie spokój. Zebrałem swoje rzeczy i razem z mamą wróciłem do domu.

Po drodze mama wychwalała Czarodziei i Potwory. Mówiła, że gra może rozwinąć moje „zdolności matematyczne" i tym podobne. Powiem jedno: mam nadzieję, że nie ma zamiaru grywać z nami regularnie. Bo jeśli ma, to przy pierwszej lepszej okazji „Mama" trafi w łapy zgrai orków.

Czwartek

Dziś po szkole mama zabrała mnie do księgarni i kupiła chyba wszystkie książki na temat Czarodziei i Potworów, które znalazła na półce. Wydała jakieś dwieście dolców i nie kazała mi wymienić nawet jednego mamodolara.

Przyszło mi do głowy, że może źle ją oceniłem i że jej obecność w grupie może mieć jednak plusy.

Chciałem zabrać nowe książki do Lelanda i wtedy dowiedziałem się, że jest w tym wszystkim pewien haczyk.

Mama kupiła książki, żebym mógł grać w Czarodziei i Potwory z RODRICKIEM. Stwierdziła, że dzięki temu uda nam się dogadać.

Kazała Rodrickowi zostać Strażnikiem Lochów, takim jak Leland. Potem rzuciła stertę książek na łóżko Rodricka i powiedziała mu, żeby zaczął się przygotowywać.

Koszmarnie było grać z mamą u Lelanda, ale wiedziałem, że granie z bratem będzie dziesięć razy gorsze.

Mama naprawdę chce, żebym z nim grał, więc zrozumiałem, że będę musiał jakoś to ścierpieć. Siedziałem godzinę w swoim pokoju i wymyślałem imiona dla postaci, z których Rodrick nie mógłby się nabijać, takie jak „Joe" i „Bob".

Kiedy skończyłem, spotkaliśmy się z Rodrickiem w kuchni i zaczęliśmy grać.

Chyba powinienem się cieszyć, że tak szybko było po wszystkim. Mam tylko nadzieję, że mama zachowała paragony na te książki.

Piątek

W tym roku nauczyciele są koszmarnie surowi wobec ściągających uczniów. Pamiętacie, jak napisałem, że mam szczęście, bo siedzę koło Aleksa Arudy na wstępie do algebry? Wcale nie wyszło mi TO na dobre.

Moją nauczycielką jest pani Lee. Chyba uczyła też Rodricka w gimnazjum, bo przygląda mi się jak JASTRZĄB.

Czasami myślę, że byłoby super mieć szklane oko albo coś w tym stylu. Mógłbym dzięki temu robić znajomym różne wariackie kawały.

Ale przede wszystkim ze szklanym okiem miałbym lepsze oceny.

Pierwszego dnia roku szkolnego wycelowałbym sztuczne oko w taki sposób:

Potem podszedłbym do nauczyciela i powiedział: „Chciałem panu powiedzieć, że mam szklane oko. Proszę sobie nie myśleć, że patrzę na prace innych uczniów".

Potem, w czasie klasówki, skierowałbym szklane oko na WŁASNY test, a PRAWDZIWE – na test jakiegoś bystrzaka.

No i mógłbym ściągać do woli! A nauczyciel w życiu by nie zauważył.

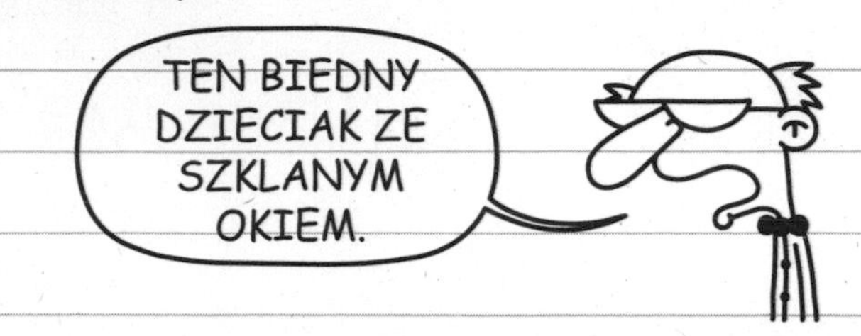

Niestety, NIE mam szklanego oka, więc jeśli mama zapyta, czemu oblałem dziś sprawdzian ze wstępu do algebry, to będzie moja wymówka.

Sobota

Ostatnio Rodrick ciągle naciąga rodziców na pieniądze. Wygląda na to, że program mamodolarów niespecjalnie się sprawdził w jego przypadku. Mama próbowała zmusić Rodricka, żeby pomagał w domu w zamian za pieniądze, ale efekty były średnie.

Ale dziś wieczorem mama wpadła na pomysł, jak Rodrick może sobie trochę dorobić. Dostała z mojej szkoły zawiadomienie, że ze względu na cięcia budżetowe nie będziemy mieć muzyki, więc rodzice powinni sami zorganizować zajęcia swoim dzieciom.

Mama powiedziała Rodrickowi, że mógłby uczyć MNIE gry na perkusji, a ona by mu za to PŁACIŁA.

Mam wrażenie, że przyszło jej to do głowy, bo ostatnio Rodrick przedstawia się wszystkim jako „zawodowy perkusista".

W naszej okolicy odbywa się przedstawienie pod tytułem „Sąsiedzki kabaret" - ludzie przygotowują skecze i odgrywają je przez jakieś dwa tygodnie w lokalnym teatrze.

Parę dni temu perkusista zachorował. Rodrick zastąpił go i zarobił pięć dolarów.

Nie wiem, czy to oznacza, że Rodrick jest „zawodowym perkusistą", ale dzięki temu tekstowi zarobiłem kilka punktów u dziewczyn w szkole.

Kiedy mama kazała Rodrickowi uczyć mnie gry na perkusji, mój brat nie zapalił się zanadto do tego pomysłu. Ale potem mama obiecała płacić mu dziesięć dolarów za lekcję i powiedziała, że mogę przyprowadzić swoich kumpli.

Więc teraz muszę zapisywać ludzi do Akademii Perkusyjnej Rodricka. Już wiem, że nie będzie fajnie.

Poniedziałek

Nie udało mi się namówić nikogo, oprócz Rowleya, a i JEGO musiałem zrobić w konia. Rowley zawsze powtarza, że chce się nauczyć grać na perkusji, ale chodzi mu o taką, jakiej używa się w orkiestrach dętych.

Powiedziałem mu, że Rodrick NA PEWNO będzie tego uczył w czwartym tygodniu kursu, więc Rowley strasznie się ucieszył.

A ja cieszę się, że nie będę musiał uczyć się sam.

Rowley przyszedł po lekcjach i zeszliśmy razem do piwnicy na naszą pierwszą lekcję. Rodrick zaczął od wybijania prostych rytmów.

Mieliśmy tylko jeden talerz do ćwiczeń i jedną parę pałeczek, więc Rowley musiał używać zwykłego talerza i sztućców. Ale chyba zawsze tak się dzieje, kiedy człowiek zapisze się na jakiś kurs jako ostatni.

Po jakimś kwadransie do Rodricka zadzwonił Ward i to był koniec naszej pierwszej lekcji.

Mama nie była zachwycona tym, że Rowley i ja tak szybko wróciliśmy na górę, i kazała nam zejść z powrotem do piwnicy. Powiedziała, że Rodrick musi nam dać zadanie. I faktycznie dał.

Wtorek

Dzisiaj Rowley i ja znowu mieliśmy lekcję z Rodrickiem.

Może i Rodrick jest dobrym perkusistą, ale nauczyciel z niego marny. Rowley i ja bardzo staraliśmy się dobrze odegrać rytmy, których nauczył nas Rodrick, ale on denerwował się przy każdym naszym błędzie.

W końcu miał już dość i zabrał nam pałeczki. Usiadł przy bębnach i kazał nam „patrzeć i uczyć się". Potem zagrał strasznie długą solówkę, która nie miała nic wspólnego z naszymi ćwiczeniami.

Nawet nie podniósł wzroku, kiedy wstaliśmy i poszliśmy na górę.

Nie żebym narzekał. Moim zdaniem w ten sposób każdy z nas zyskuje.

Czwartek

Przed Świętem Dziękczynienia musimy oddać zadanie z historii. Powinienem poważnie się do niego zabrać.

Nauczyciele dużo bardziej zwracają uwagę na jakość naszych zadań i to, co robiłem do tej pory, już im nie wystarcza.

W zeszłym tygodniu mieliśmy oddać referat z biologii. Pani Breckman kazała nam wybrać jakieś zwierzę i je opisać. Wybrałem łosia. Wiem, że powinienem był zajrzeć do biblioteki i poszukać tam informacji, ale postanowiłem pójść na łatwiznę.

Wspaniały Łoś

Autor: Greg Heffley

Dieta: Łoś je całe mnóstwo rzeczy, ale ich lista nie zmieściłaby się w tym referacie. Dlatego zaoszczędzę nam czasu i wypiszę tylko te, których łoś NIE je.

GUMA DO ŻUCIA METAL PIZZA

Naturalne środowiska łosia są w zasadzie wszędzie, mimo to łoś jest już właściwie wymarły.

Wszyscy wiedzą, że łosie pochodzą od ptaków, tak samo jak ludzie. Tylko że gdzieś po drodze ludziom wyrosły ręce, a łosiom dostały się bezużyteczne rogi.

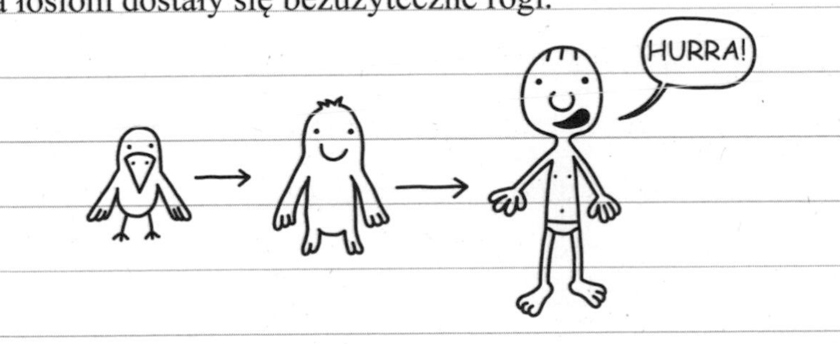

KONIEC

Wydawało mi się, że nieźle sobie poradziłem, ale pani Breckman jest chyba jakimś specem od łosi, bo kazała mi iść do biblioteki i napisać referat od nowa.

NASTĘPNE zadanie wcale nie będzie łatwiejsze. Na zajęcia z panem Huffem muszę napisać wiersz o dziewiętnastym wieku, a zupełnie nie znam się ani na historii, ani na poezji. Chyba trzeba będzie trochę się obkuć.

Poniedziałek

Wczoraj byłem u Rowleya. Graliśmy w gry planszowe i stało się coś strasznie dziwnego. Kiedy Rowley poszedł do łazienki, zauważyłem pieniądze do zabawy, wystające z pudełka na jakąś inną grę.

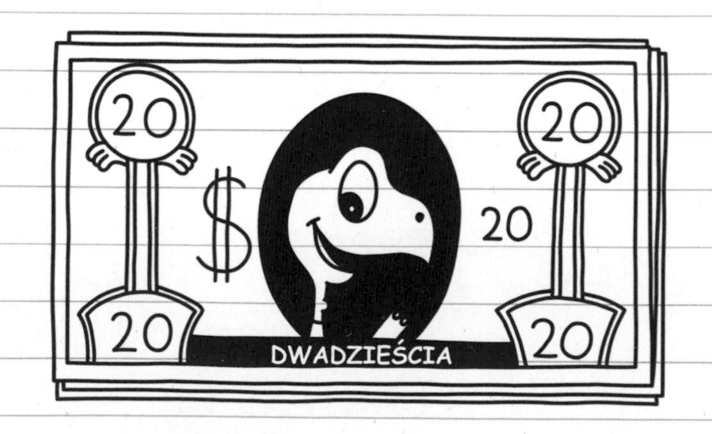

Nie mogłem uwierzyć własnym oczom. DOKŁADNIE takich samych pieniędzy używa mama jako mamodolarów.

Przeliczyłem banknoty. W pudełku było przynajmniej 100 000 dolarów.

W ciągu dwóch sekund wymyśliłem, co powinienem teraz zrobić.

Kiedy wróciłem do domu, pobiegłem na górę i upchnąłem pieniądze pod materacem. Całą noc przewracałem się z boku na bok i wyobrażałem sobie, co zrobię z moimi nowymi mamodolarami.

Doszedłem do wniosku, że mama pewnie potrafi odróżnić prawdziwe mamodolary od podrabianych. I dlatego postanowiłem przeprowadzić dziś rano mały eksperyment.

Spytałem mamę, czy mogę wymienić kilka mamodolarów, żeby móc kupić znaczki na listy do mojego korespondencyjnego kumpla. Strasznie się denerwowałem, kiedy podawałem jej pieniądze.

Ale mama przyjęła je bez zmrużenia oka.

Szczęściarz ze mnie! Te 100 000 dolarów wystarczy mi na całe gimnazjum, może jeszcze dłużej. Może w ogóle nie będę musiał iść potem do pracy.

Nie mogę tylko wymieniać za dużo na raz, bo mama się połapie.

No i muszę pamiętać, żeby naprawdę zarobić czasami trochę mamodolarów i nie wzbudzać jej podejrzeń.

Jedno mogę powiedzieć z całą pewnością - pieniędzy od mamy nie wydam na znaczki.

Wczoraj dostałem od Mamadou list z jego zdjęciem. Dzięki temu szanse, że mu odpiszę, zmalały właściwie do zera.

Wtorek

Jutro mam oddać to zadanie z historii, ale od tygodnia wszyscy mówią, że dziś wieczorem spadnie z PÓŁ METRA śniegu.

Dlatego nie przemęczałem się za bardzo.

Około dziesiątej wieczorem wyjrzałem przez okno, żeby zobaczyć, ile śniegu już spadło. Ale kiedy odsunąłem zasłonę, nie mogłem uwierzyć własnym oczom.

Rany, naprawdę myślałem, że lekcje zostaną dzisiaj ODWOŁANE. Włączyłem wiadomości, żeby zobaczyć, co się stało, ale facet od prognozy pogody mówił zupełnie co innego niż trzy godziny wcześniej.

Oznaczało to, że muszę jednak napisać zadanie z historii. Niestety, było już za późno, żeby pójść do biblioteki, a w domu nie mamy żadnych książek o dziewiętnastym wieku. Wiedziałem, że muszę szybko coś wymyślić.

I wtedy przyszedł mi do głowy świetny pomysł.

Tata MILION razy uratował Rodricka, kiedy ten nie mógł sobie poradzić z zadaniem. Doszedłem więc do wniosku, że mnie też pomoże.

Opowiedziałem tacie o mojej sytuacji. Myślałem, że rzuci się do pisania, ale on chyba sam się czegoś nauczył.

Rodrick musiał podsłuchać naszą rozmowę. Kazał mi iść za sobą na dół.

Wiecie, że pan Huff uczył Rodricka w gimnazjum? Okazało się, że dał jego klasie DOKŁADNIE to samo zadanie z historii.

Rodrick przekopał swoją szufladę i znalazł stare zadanie. A potem oświadczył, że sprzeda mi je za pięć dolców.

Powiedziałem mu, że NIE ma mowy.

Przyznam, że strasznie mnie kusiło. Po pierwsze dlatego, że wszystkie zadania Rodricka poprawiał tata, więc Rodrick dostawał dobre oceny. A po drugie, zadanie było zbindowane i oprawione. Nauczyciele to uwielbiają.

Poza tym miałem pod materacem kupę mamodolarów i wiedziałem, że mogę zapłacić Rodrickowi.

Ale nie potrafiłem tego zrobić. Jasne, odpisywałem już od innych podczas klasówek, ale KUPIENIE czyjegoś zadania to zupełnie inna historia.

Postanowiłem zacisnąć zęby i poradzić sobie sam.

Zacząłem szukać informacji w Internecie, ale o północy stało się najgorsze - wysiadł prąd.

Wtedy zrozumiałem, że mam przerąbane. Wiedziałem, że jeśli nie oddam zadania, dostanę pałę z historii. Więc chociaż wcale nie chciałem, postanowiłem przyjąć ofertę Rodricka.

Wziąłem 500 mamodolarów i zszedłem do piwnicy, ale Rodrick nie odpuścił mi tak łatwo.

Kazał zapłacić sobie 20 000 mamodolarów. Powiedziałem mu, że nie mam tyle pieniędzy, więc odwrócił się na drugi bok i znowu zasnął.

W tej chwili byłem już naprawdę zdesperowany. Poszedłem na górę, wziąłem wielki plik tysiącdolarowych banknotów i zszedłem z powrotem do pokoju Rodricka. Dałem mu kasę, a on dał mi zadanie. Czułem się paskudnie, ale postanowiłem o tym nie myśleć i poszedłem spać.

Środa

W drodze do szkoły wyjąłem z torby zadanie Rodricka. Wystarczył jeden rzut oka, żeby przekonać się, jaki popełniłem błąd.

Po pierwsze, wiersz wcale nie był napisany na maszynie, tylko ręcznie, przez Rodricka.

I wtedy sobie przypomniałem, że tata zaczął odrabiać zadania za Rodricka, dopiero kiedy ten poszedł do LICEUM. A to oznaczało, że moje zadanie zostało napisane przez RODRICKA.

Zacząłem czytać, żeby sprawdzić, czy do czegoś się nadaje. Okazało się, że Rodrick przygotował się jeszcze GORZEJ niż ja.

Przed stu laty

Autor: Rodrick Heffley

Czasami siadam i rozmyślam,
O tym, o czym pojęcia nie mam.
Nie mogę przecież spytać taty,
Jak świat wyglądał przed stu laty.

Czy ktoś osiodłał dinozaura?
Jaka na Ziemi była aura?
I czy w ogóle rosły już kwiaty?
Nie wiem, jak było przed stu laty.

Gdyby ktoś stworzył wehikuł czasu,
Wziął mnie do środka bez hałasu,
Żebym sam sprawdził bez opłaty,
Jak też to było przed stu laty!

Czy śnieg zalegał na pustyniach?
Czy ludzie bali się olbrzymów?
Tak sobie myślę w drodze do chaty,
Jak też się żyło przed stu laty?

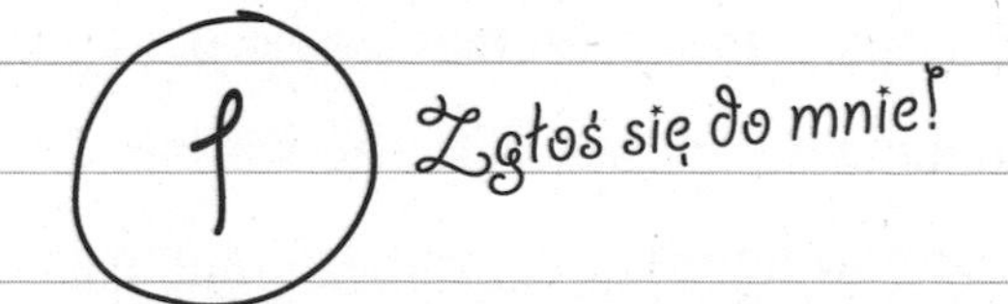

Dostałem nauczkę, żeby nie kupować cudzych zadań. A już na pewno zadań RODRICKA.

Kiedy zaczęła się trzecia lekcja, nie miałem zadania dla pana Huffa. Chyba będę musiał uczyć się historii przez całe wakacje.

Potem było coraz gorzej. Kiedy wróciłem do domu, mama czekała na mnie w drzwiach.

Pamiętacie ten plik banknotów, którymi zapłaciłem Rodrickowi? Ten głupek chciał wymienić WSZYSTKO na raz, żeby zdobyć pieniądze na używany motor. Mama musiała coś zwąchać, bo Rodrick nie zarobił dotąd samodzielnie ani jednego mamodolara.

Rodrick powiedział mamie, skąd ma pieniądze, a ona przekopała mój pokój i w końcu znalazła resztę pieniędzy pod materacem. Wiedziała, że nie puściła w obieg 100 000, więc skonfiskowała mi CAŁĄ gotówkę, nawet pieniądze, które naprawdę zarobiłem. To chyba koniec programu mamodolarów.

Jeśli mam być szczery, trochę mi ulżyło. Sypianie na tej kasie każdej nocy okropnie mnie stresowało.

Mama była wściekła, że chciałem zrobić ją w konia, więc wymyśliła dla mnie karę. Poradziłem sobie z tym jeszcze przed kolacją.

Czwartek

Dziś jest Święto Dziękczynienia. Zaczęło się tak jak zawsze - ciocia Loretta przyszła dwie godziny za wcześnie.

Mama zawsze zmusza mnie i Rodricka, żebyśmy zabawiali ciocię Lorettę. Oznacza to, że mamy z nią rozmawiać, dopóki nie pojawi się reszta rodziny.

Rodrick i ja najbardziej tłukliśmy się zawsze o to, który z nas ma ją powitać jako pierwszy.

Reszta rodziny zaczęła się schodzić około jedenastej. Brat taty, wujek Joe, i jego dzieci przyszli jako ostatni, koło wpół do pierwszej.

Wszystkie dzieci wujka Joego mówią tak samo do mojego taty.

Mama uważa, że to urocze, ale tata jest przekonany, że wujek Joe celowo kazał im tak mówić.

Stosunki między tatą a wujkiem Joem są raczej napięte, bo tata jest ciągle wściekły na niego przez to, co wujek zrobił w OSTATNIE Święto Dziękczynienia. Manny dopiero uczył się korzystać z nocnika i całkiem nieźle mu szło. Brakowało mu jakichś dwóch tygodni, żeby wyrosnąć z pieluch.

I wtedy wujek Joe powiedział Manny'emu coś, co wszystko zmieniło.

Minęło pół roku, zanim Manny odważył się znowu wejść do łazienki.

Za każdym razem, kiedy tata zmieniał potem jego brudną pieluchę, przeklinał pod nosem wujka Joego.

O drugiej zjedliśmy obiad, a potem wszyscy poszli do salonu, żeby pogadać. Ja nie miałem na to ochoty, więc poszedłem pograć na komputerze.

Po jakimś czasie tata chyba też się znudził i zszedł do piwnicy popracować przy swoim polu bitwy. Tylko że zapomniał zamknąć drzwi do kotłowni i wujek Joe wszedł tam za nim.

Wujek zainteresował się makietą, więc tata mu o niej opowiedział. Wygłosił długie przemówienie na temat 150. regimentu i jego roli w bitwie pod Gettysburgiem. Potem przez pół godziny opisywał całą bitwę.

Wujek Joe nie słuchał go zbyt uważnie.

Święto Dziękczynienia długo już po tym nie potrwało. Tata poszedł na górę i podkręcił kaloryfery. Zrobiło się gorąco, więc wszyscy wyszli. I tak jest właściwie co roku.

GRUDZIEŃ

Sobota

Pamiętacie, jak mówiłem, że rodzice w końcu dowiedzą się o imprezie Rodricka? To stało się dzisiaj.

Mama kazała tacie odebrać zdjęcia ze Święta Dziękczynienia. Kiedy wrócił, NIE był w dobrym humorze.

W ręce trzymał zdjęcie z imprezy Rodricka.

Wygląda na to, że jeden z kumpli Rodricka przez przypadek zrobił zdjęcie aparatem, który mama trzyma na półce nad sprzętem stereo. A zdjęcie objęło całą scenę.

Rodrick próbował wyprzeć się przyjęcia, ale wszystko było na zdjęciu, więc nie miało to żadnego sensu.

Rodzice odebrali mu kluczyki do samochodu i powiedzieli, że za karę nie będzie mógł wyjść z domu przez cały MIESIĄC.

Wściekli się nawet na MNIE, bo ich zdaniem miałem we wszystkim „współudział". No i dostałem dwutygodniowy szlaban na gry wideo.

Niedziela

Odkąd rodzice dowiedzieli się o imprezie Rodricka, nie dają mu spokoju. W weekendy Rodrick sypia zwykle do drugiej po południu, ale dziś tata zerwał go z łóżka o ósmej rano.

Wczesna pobudka daje Rodrickowi ostro w kość, bo chłopak UWIELBIA spać. Jesienią zeszłego roku przespał trzydzieści sześć godzin BEZ PRZERWY.

Spał od niedzieli wieczorem do wtorku rano i dopiero wieczorem zorientował się, że przepadł mu cały dzień.

Wygląda jednak na to, że Rodrick znalazł sposób na pobudkę o ósmej rano. Kiedy tata każe mu wstawać z łóżka, Rodrick wlecze się po prostu na górę i śpi na kanapie aż do kolacji. Czyli punkt dla niego.

Wtorek

W ten weekend rodzice znowu wyjeżdżają i podrzucają nas do dziadka. Powiedzieli, że MIELI zamiar zostawić nas samych w domu, ale udowodniliśmy, że nie można nam ufać.

Dziadek mieszka w Leisure Towers. To taki ośrodek dla starszych ludzi. Kilka miesięcy temu musiałem spędzić tam cały tydzień z Rodrickiem i to była najgorsza część wakacji.

Manny spędza weekend u babci. WSZYSTKO bym dał, żeby się z nim zamienić. Babcia zawsze ma pełną lodówkę coli, ciastek i tym podobnych. Poza tym u babci jest kablówka i wszystkie kanały muzyczne.

Manny jedzie do babci, bo jest jej ulubieńcem.
Najlepiej świadczą o tym drzwi od lodówki.

Ale jeśli ktoś zarzuca babci faworyzowanie
Manny'ego, babcia zaczyna się bronić.

Nie chodzi tu tylko o zdjęcia na lodówce. W całym domu babci wiszą rysunki i inne dzieła Manny'ego.

Ode mnie babcia ma tylko liścik, który napisałem w wieku sześciu lat. Byłem na nią zły, bo nie chciała dać mi lodów przed kolacją, więc napisałem:

Nienawidzę babci

Babcia trzyma tę kartkę od lat i WCALE mi tego nie zapomniała.

Pewnie każda babcia i każdy dziadek mają swojego faworyta. Mogę to zrozumieć. Ale mój dziadek przynajmniej się z tym nie obcyndala.

Sobota

Rodzice podrzucili nas dziś do dziadka, dokładnie tak, jak obiecali.

Zacząłem szukać jakichś rozrywek, ale w mieszkaniu dziadka nie ma nic fajnego, więc po prostu usiadłem z nim, żeby pooglądać telewizję. Problem w tym, że dziadek nie ogląda normalnych programów, tylko kanał nadający obraz z kamery zamontowanej w głównym holu.

Po kilku godzinach czegoś TAKIEGO człowiek zaczyna świrować.

Około siedemnastej dziadek zrobił nam kolację. Jego specjalnością jest paskudztwo, które nazywa się „zielona sałatka". To najkoszmarniejsza potrawa na świecie.

Składa się z zimnej fasolki i ogórków pływających w kałuży octu.

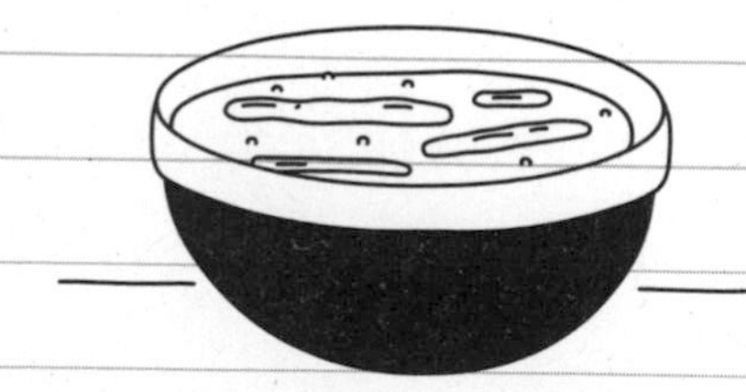

Rodrick wie, jak BARDZO nienawidzę zielonej sałatki, więc podczas ostatniej wizyty u dziadka nałożył mi solidną porcję.

Musiałem przełknąć każdy kęs, żeby nie zranić uczuć dziadka.

Zgadnijcie, co dostałem w nagrodę?

Dziś wieczorem dziadek dał nam sałatkę, a ja udawałem, że mam zamiar ją zjeść. Ale potem, kiedy nikt nie patrzył, upchnąłem wszystko do kieszeni.

Zimny ocet ciekł mi po nodze, co było dosyć obrzydliwe, ale i tak o niebo lepsze niż JEDZENIE zielonej sałatki.

Po kolacji wszyscy poszliśmy do salonu. Dziadek ma mnóstwo przedpotopowych gier planszowych i zawsze zmusza nas, żebyśmy z nim zagrali.

Jedna gra nazywa się Rozśmieszacze. Jeden gracz czyta dowcip z karty, a pozostali próbują się nie roześmiać.

Zawsze ogrywam dziadka, bo te dowcipy nie mają żadnego sensu.

Ogrywam też Rodricka, ale to dlatego, że on przegrywa celowo. Kiedy to ja mam przeczytać dowcip, Rodrick nabiera do ust mleka.

O dziesiątej wieczorem chciałem już pójść do łóżka. Ale Rodrick zaklepał sobie kanapę, a to oznaczało, że znowu będę musiał spać z dziadkiem.

Powiem tyle: jeśli rodzice chcieli dać mi nauczkę, żebym nie krył więcej Rodricka, to odnieśli pełen sukces.

Niedziela

Rodrick musi skończyć przed świętami bardzo ważny projekt na szkolny kiermasz naukowy. Wygląda na to, że tym razem rodzice dopilnują, żeby zrobił to sam.

W zeszłym roku jego projekt nosił tytuł: „Czy oglądanie filmów pełnych przemocy powoduje agresywne myśli?".

Ludzie mieli oglądać horrory, a potem coś rysować, żeby pokazać, jaki wpływ miały na nich filmy.

Kumple Rodricka faktycznie obejrzeli masę horrorów, ale nic nie narysowali, więc na dzień przed kiermaszem Rodrick nie miał nic do pokazania.

Dlatego rodzice i ja musieliśmy ratować mu skórę. Tata napisał referat, mama przygotowała plakaty, a ja nasmarowałem mnóstwo rysunków.

Próbowałem wyobrazić sobie, co mogą rysować nastolatki po oglądnięciu horrorów.

NAJGORSZE jest to, że oberwało mi się od mamy, która zobaczyła moje rysunki i określiła je jako „niepokojące". W efekcie do końca roku mogłem oglądać tylko filmy dla dzieci.

A skoro mowa o „niepokojących" rysunkach, to powinniście zobaczyć, co produkuje ostatnio Manny.

Któregoś wieczora Rodrick przez przypadek zostawił w odtwarzaczu płytę z horrorem. Następnego dnia Manny włączył telewizor, żeby oglądnąć kreskówki, i trafił na film Rodricka.

Po tym wydarzeniu znalazłem kilka rysunków Manny'ego. Niektóre z nich będą mi się śnić po nocach.

Wtorek

Rodzice wyznaczyli Rodrickowi ostateczny termin ukończenia projektu na kiermasz naukowy. Dziś o osiemnastej Rodrick miał przedstawić im temat eksperymentu.

Ale za kwadrans siódma nie wyglądało to zbyt różowo.

Rodrick oglądał program o astronautach i o tym, co się z nimi działo po zbyt długim pobycie w kosmosie. Okazało się, że kiedy astronauci wracali na Ziemię, byli WYŻSI niż przed lotem.

A wszystko dlatego, że w kosmosie nie działa grawitacja, więc kręgosłup się dekompresuje czy coś takiego.

I to właśnie podsunęło Rodrickowi pewien pomysł.

Rodrick powiedział rodzicom, że ma zamiar przeprowadzić eksperyment dotyczący wpływu „zerowej grawitacji" na ludzki kręgosłup. Mówił o tym w taki sposób, jakby wyniki eksperymentu miały przynieść światu jakieś korzyści.

Tata był pod wrażeniem. A może po prostu poczuł ulgę, bo Rodrick wykazał jakieś zainteresowanie swoim pierwszym projektem. Później zmienił trochę zdanie, kiedy kazał Rodrickowi wynieść śmieci.

Środa

Wczoraj w szkole ogłoszono nabór do Zimowego Konkursu Talentów.

Od razu przyszedł mi do głowy CZADOWY pomysł na skecz, który mógłbym przygotować razem z Rowleyem. Chociaż przyznam, że tak NAPRAWDĘ napisałem ten tekst głównie po to, żeby mieć pretekst do rozmowy z Holly Hills, która jest siostrą Heather Hills i najpopularniejszą dziewczyną w moim roczniku.

NIE WOLNO CI SIADAĆ NA KANAPIE, GŁUPI KUNDLU!
PRZECIEŻ JA NIE JESTEM PSEM, JESTEM TWOIM SYNEM!
TYLKO MI TU NIE WARCZ!

JEDZIEMY NA ROMANTYCZNE WAKACJE. CHYBA BĘDZIEMY MUSIELI ODDAĆ PSA DO SCHRONISKA!
ALE JA CHCĘ JECHAĆ Z WAMI!
BARDZO ŁADNIE, PIESKU, HAU, HAU!
Koniec

NAPISY

SCENARIUSZ - GREG HEFFLEY

REŻYSERIA - GREG HEFFLEY

TATA - GREG HEFFLEY

MAMA - HOLLY HILLS

CHŁOPIEC PIES - ROWLEY JEFFERSON

Pokazałem scenariusz Rowleyowi, ale on nie był zachwycony tym pomysłem.

Rowley powinien być mi wdzięczny, że chcę zrobić z niego wielką gwiazdę. Ale jest tak, jak mówi zawsze mama: niektórych ludzi nie sposób zadowolić.

Czwartek

Rowley znalazł sobie INNEGO partnera do konkursu talentów. Ma zamiar pokazać sztuczkę magiczną razem z jakimś dzieciakiem, z którym chodzi na karate, Scottym Douglasem.

Chcecie wiedzieć, czy jestem zazdrosny? Powiem tak - Scotty Douglas jest w PIERWSZEJ KLASIE. Rowley będzie miał szczęście, jeśli nie spuszczą mu za to łomotu w szkole.

Odbędzie się jeden wielki konkurs dla uczniów podstawówki, gimnazjum i liceum. Oznacza to, że Rodrick i jego kapela wystąpią razem z Rowleyem i Scottym Douglasem.

Rodrick STRASZNIE się nakręcił przez ten cały konkurs talentów. Jego kapela nigdy wcześniej nie występowała przed tłumem ludzi, więc teraz będą mieli szansę, żeby ich zauważono.

Rodrick ciągle ma szlaban, ale zasada jest taka, że nie wolno mu wychodzić z domu. Dlatego jego kapela przychodzi do nas codziennie na próby w piwnicy. Moim zdaniem tata żałuje już, że nie wymyślił dla Rodricka innej kary.

Ale jeśli Rodrick i jego kapela myślą poważnie o wygraniu konkursu, to naprawdę powinni wziąć się w garść i zacząć grać prawdziwą muzykę. Jak na razie spędzili dwie próby na wygłupach, bawiąc się maszyną do robienia echa, którą kupili w weekend.

Piątek

Tata odwołał karę Rodricka dwa tygodnie wcześniej, bo chodził po ścianach podczas codziennych prób Bródnej Pieluhy. Dzisiaj Rodrick pojechał na weekend do swojego kumpla Warda.

Po jego wyjściu piwnica była wolna, więc zaprosiłem na noc Rowleya.

Kupiliśmy masę coli i słodyczy, a Rowley przytargał swój przenośny telewizor. Udało nam się nawet dorwać kilka horrorów Rodricka i wszystko było gotowe. I wtedy na dół zeszła mama z Mannym.

Mama podrzuciła nam Manny'ego tylko i wyłącznie po to, żeby smarkacz mógł jej donieść, czy robimy coś złego.

Zawsze kiedy jakiś kumpel zostaje u mnie na noc, mama wszystko psuje. NAJGORZEJ było podczas ostatniej wizyty Rowleya.

Manny zmarzł w nocy, więc wpełzł do śpiwora Rowleya, żeby się ogrzać.

Rowley tak się przeraził, że poszedł do domu wcześniej. I od tego czasu nie chciał już zostać u mnie na noc.

Wyglądało na to, że Manny ZNOWU wszystko nam zepsuje. Nie mogliśmy oglądać przy nim horrorów, więc postanowiliśmy zagrać w gry planszowe.

Tylko że ja mam już trochę dość gier planszowych, a poza tym Rowley doprowadza mnie do szału.

Chodził do kibla co pięć minut, a po powrocie za każdym razem przekopywał poduszkę przez cały pokój.

Na początku było to nawet zabawne, ale potem zaczęło działać mi na nerwy. Następnym razem, kiedy Rowley poszedł do łazienki, wyciąłem mu mały numer.

Wsadziłem pod poduszkę hantle taty. Oczywiście jak tylko Rowley wszedł do pokoju, sprzedał poduszce porządnego kopa.

To wystarczyło. Rowley zaczął beczeć jak dziecko. Nie mogłem go uspokoić.

Przez ten jego wrzask mama zeszła do nas na dół.

Spojrzała na duży palec u stopy Rowleya i się zaniepokoiła. Wydaje mi się, że po tej przygodzie z kłującą kulą ze sreberka mama strasznie się przejmuje, że Rowley zrobi sobie krzywdę u nas w domu, więc z miejsca go odwiozła.

Cieszę się tylko, że nie spytała nawet, jak to się stało.

Gdy tylko mama i Rowley wyszli z domu, postanowiłem popracować nad Mannym.

Manny widział, jak wkładałem hantle pod poduszkę, i wiedziałem, że powie o tym mamie. Przyszło mi do głowy, jak powstrzymać go od kapowania.

Spakowałem walizki i powiedziałem Manny'emu, że muszę uciekać z domu, bo nie chcę przyznać się mamie do tego, co zrobiłem.

Potem wyszedłem i udawałem, że żegnam się na zawsze.

Tak naprawdę to był pomysł Rodricka. Mój brat zawsze się tak zachowywał, kiedy SAM zrobił coś złego, i wiedział, że na NIEGO naskarżę. Udawał, że ucieka z domu, a pięć minut później wracał jakby nigdy nic.

Natomiast ja zdążałem już wybaczyć mu wszystko, co zrobił.

Po tym, jak powiedziałem Manny'emu, że uciekam z domu, zamknąłem za sobą drzwi i odczekałem kilka minut. Potem otwarłem drzwi, spodziewając się zobaczyć go zaryczanego w korytarzu. Ale Manny'ego nie było tam, gdzie go zostawiłem. Zacząłem obchodzić dom, żeby go znaleźć. Zgadnijcie, gdzie był?

W piwnicy. I zajadał moje słodycze.

Jeżeli słodycze są ceną za milczenie Manny'ego, jakoś to przeżyję.

Sobota

Dziś po przebudzeniu zszedłem do kuchni. Jedno spojrzenie na twarz mamy i już wiedziałem, że Manny puścił farbę.

Manny powiedział mamie o wszystkim. Nawet o horrorach. Nie pytajcie mnie nawet, SKĄD o nich wiedział.

Mama kazała mi zadzwonić do Rowleya i go przeprosić. Potem kazała mi przeprosić też jego RODZICÓW. Chyba nieprędko zaproszą mnie do siebie na noc.

Mama porozmawiała sobie z panią Jefferson. Pani Jefferson powiedziała, że Rowley złamał sobie palec i że musi zostać w łóżku do końca tygodnia.

Pani Jefferson powiedziała też, że Rowley „ma złamane serce", bo nie będzie mógł chodzić na przesłuchania do konkursu talentów. A przez cały tydzień ćwiczył swoją magiczną sztuczkę razem ze Scottym Douglasem.

I wtedy mama powiedziała pani Jefferson, że ja Z RADOŚCIĄ zastąpię Rowleya na przesłuchaniach. Ciągnąłem ją za rękaw, żeby zrozumiała, jaki to FATALNY pomysł, ale ona po prostu mnie zignorowała.

Po skończonej rozmowie oświadczyłem mamie, że będę miał przerąbane w szkole, jeśli wystąpię na scenie w sztuczce magicznej razem ze smarkaczem, który jeszcze rok temu nosił pieluchy.

Ale mama i tak nie ustąpiła. Zawiozła mnie do domu Scotty'ego i wyjaśniła wszystko jego mamie. Teraz już się z tego nie wywinę.

Pani Douglas zaprosiła mnie do środka. Poszedłem ze Scottym do jego pokoju, żeby trochę poćwiczyć. Wiecie co? Okazało się, że Rowley i Scotty wcale nie są partnerami w swoim numerze. Rowley jest ASYSTENTEM Scotty'ego.

Powiedziałem Scotty'emu, że ZA ŻADNE SKARBY nie będę asystentem pierwszaka pokazującego magiczną sztuczkę. Ale Scotty oświadczył, że to JEGO zestaw magika, i wpadł w szał.

No i musiałem zgodzić się na wszystko, bo naprawdę nie potrzebuję już więcej problemów.

Wtedy Scotty wręczył mi koszulę pokrytą takimi świecącymi cekinami i powiedział, że to mój kostium.

W czymś podobnym moja babcia chadza do salonu bingo. Zaproponowałem, że mogę włożyć coś fajniejszego, na przykład skórzaną kurtkę, ale zdaniem Scotty'ego to byłoby za mało „magiczne".

Okazało się, że mam tylko podawać mu co pewien czas rekwizyty, więc może nie będzie tak źle.

Ale spytajcie, jak się czuję, kiedy wejdziemy na scenę i wystąpimy przed pięcioma setkami ludzi. Powinna mu pomagać młodsza siostra, a nie ja.

Niedziela

Z tej całej sytuacji wynikła JEDNA dobra rzecz. Mam teraz całą masę fajnych pomysłów do komiksu z Danielkiem Debilkiem.

Kilka miesięcy temu Rowley przestał już pisać komiks „Jeny Julek!" do szkolnej gazetki. Powiedział, że chce mieć więcej czasu na zabawę mechanicznymi dinozaurami. Czyli w gazetce potrzebują nowego rysownika. Chyba się zgłoszę.

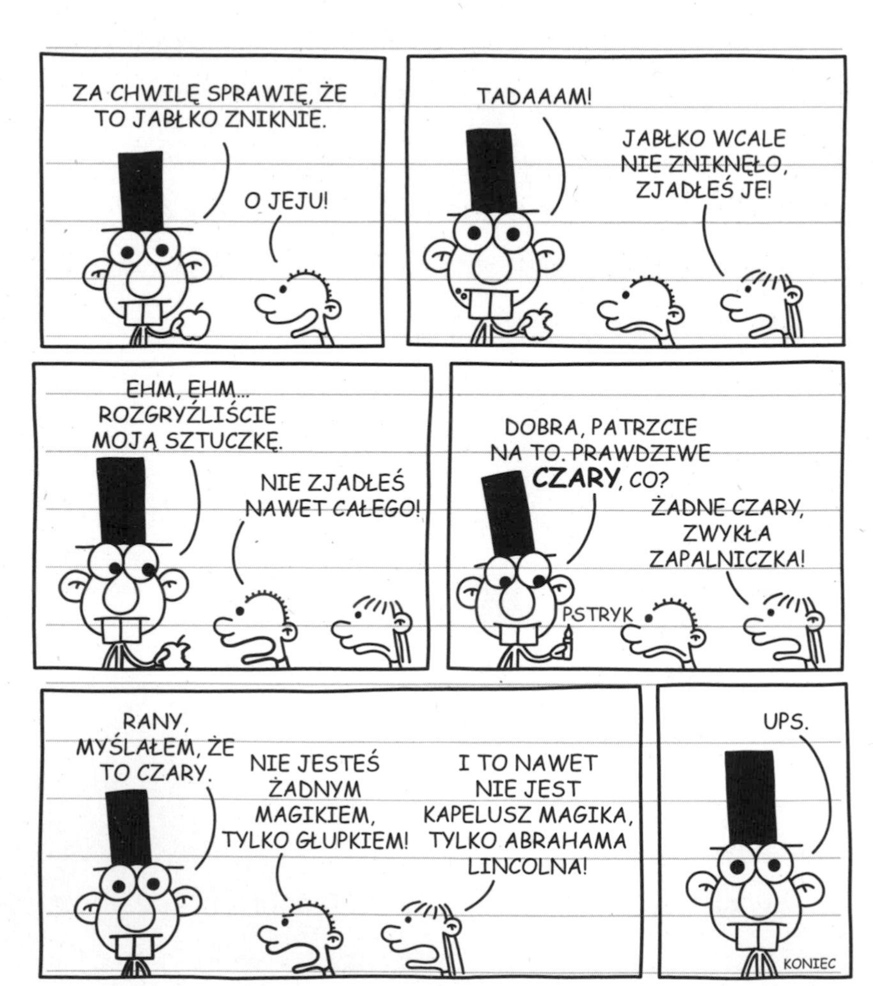

Poniedziałek

Mam dobre wieści - wczoraj odbyły się kwalifikacje do konkursu talentów, a Scotty i ja nie przeszliśmy do następnego etapu.

Dobra, pewnie mogłem bardziej przyłożyć się do roli asystenta Scotty'ego. Ale naprawdę nie schrzaniłem tego CELOWO. Po prostu raz czy dwa zapomniałem podać mu rekwizyt.

TYLKO my nie przeszliśmy dalej. To było dosyć obciachowe.

Wiem, że nie byliśmy dziś najlepsi, ale nie byliśmy też NAJGORSI. Niektóre zakwalifikowane pokazy nawet się nie umywały do naszej sztuczki.

Jakiś przedszkolak, Harry Gilbertson, przeszedł dalej, a cały jego numer polegał na wykręcaniu ósemek na wrotkach wokół magnetofonu, z którego leciała melodia „Yankee Doodle Dandy".

Kapela Rodricka też się załapała. Teraz Rodrick zachowuje się, jakby to był nie wiadomo jaki sukces.

Mówiłem już, że Rodrick jest strasznie przejęty tym konkursem talentów. Oddał nawet projekt na kiermasz naukowy dzień WCZEŚNIEJ, żeby mieć czas na dodatkowe próby z zespołem.

Ale kiedy oddał ten projekt, nauczyciel kazał mu zrobić wszystko od nowa i wymyślić całkiem inny temat. Powiedział, że Rodrick nie zastosował „naukowej metody", takiej z hipotezą, konkluzjami i takimi tam.

Rodrick powiedział nauczycielowi, że dzięki eksperymentowi z „zerową grawitacją" urósł o ćwierć centymetra, a to chyba o czymś świadczy.

Ale nauczyciel uznał, że to zupełnie normalne u rosnącego chłopaka w wieku Rodricka.

To fatalnie, bo ja też chciałem przygotować projekt z „zerową grawitacją" na kiermasz naukowy.

A teraz okazuje się, że moje dotychczasowe przygotowania były jedną wielką stratą czasu.

Tata kazał Rodrickowi zrezygnować z występu w konkursie talentów i poświęcić więcej czasu nowemu eksperymentowi, ale Rodrick oświadczył, że nie ma takiej opcji.

Powiedział tacie, że ma w NOSIE szkołę. Ma zamiar wygrać konkurs, wysłać nagranie z występu do wytwórni i podpisać kontrakt na płytę. Potem rzuci szkołę i na dobre zajmie się kapelą.

Moim zdaniem to beznadziejny plan, ale tacie chyba się podoba.

Środa

Dziś wieczorem odbył się Wielki Zimowy Konkurs Talentów. Nie chciałem tam iść, tata też nie, ale mama zmusiła nas, żebyśmy poszli i dopingowali Rodricka.

Trochę wcześniej Rodrick i mama pojechali do szkoły, żeby zawieźć tam sprzęt kapeli, więc tata musiał poprowadzić furgonetkę i zabrać Billa. I nie był zachwycony, kiedy na parkingu przed szkołą spotkał swojego szefa.

Konkurs zaczął się o dziewiętnastej. Powiem wam jedno - wymieszanie dzieciaków z trzech różnych szkół to NIE był dobry pomysł.

Skończyło się na tym, że po przedszkolakach śpiewających piosenki dla swoich pluszaków występowała metalowa kapela osiemnastolatków, którzy grali ostre gitarowe solówki.

Tata nie był wielkim fanem Larry'ego Larkina i jego licznych kolczyków. W połowie solówki nachylił się do gościa, który siedział w rzędzie przed nami, i szepnął:

Szkoda, że nie miałem czasu ostrzec taty, że ten gość to ojciec Larry'ego.

Wymieszanie dzieciaków z trzech szkół oznaczało też, że występów było za dużo i konkurs trwał BEZ KOŃCA.

O wpół do dziesiątej organizatorzy postanowili wystawiać dwa numery na raz, żeby trochę przyśpieszyć. Czasami miało to sens, tak jak w przypadku Patty Farrell stepującej razem z żonglującym Spencerem Kittem. Ale czasami efekt był koszmarny, na przykład kiedy Terrence James grał na harmonijce, jeżdżąc na monocyklu, a Charise Kline recytowała swój wiersz o globalnym ociepleniu.

Kapela Rodricka wystąpiła na samym końcu.

Przed konkursem Rodrick zapytał, czy nakręcę film z występu, ale powiedziałem mu, że nie ma mowy.

Gość traktował mnie ostatnio naprawdę parszywie. Nie mogę uwierzyć, że chciał mnie naciągnąć na przysługę. W końcu do filmowania zgłosiła się mama.

Kapela Rodricka występowała razem z Harrym Gilbertsonem, dzieciakiem na wrotkach. Założę się, że Rodrick nie był tym zachwycony.

Podczas występu Rodricka zauważyłem, że tata nie siedzi koło mnie, więc poszedłem go szukać.

Stał na końcu sali gimnastycznej, a z uszu sterczała mu wata. Został tam do końca piosenki.

Kiedy kapela Rodricka skończyła grać, odbyło się rozdanie nagród. Bródna Pieluha nic nie dostała, ale za to Harry Gilbertson wygrał nagrodę za „Najlepszy występ muzyczny".

Nigdy nie zgadniecie, kto zgarnął nagrodę główną: opiekun Rowleya, Leland.

Wygrał dzięki pokazowi brzuchomówstwa, który sędziowie ocenili jako „występ w dobrym guście".

Nigdy nie sądziłem, że zgodzę się w czymkolwiek z Rodrickiem, ale zaczynam się zastanawiać, czy nie miał on przypadkiem racji, kiedy nazwał Lelanda dziwakiem.

Po konkursie chłopaki z kapeli Rodricka przyjechali do naszego domu, żeby obejrzeć kasetę z występu.

Wszyscy narzekali, że ich „okradziono" i że sędziowie nie mają pojęcia o rock'n'rollu.

Postanowili wysłać nagranie do kilku wytwórni płytowych i pozwolić, żeby ich występ mówił sam za siebie.

Usiedli przed telewizorem, a Rodrick włożył kasetę do odtwarzacza. Już po trzydziestu sekundach wszyscy zorientowali się, że nagranie jest do bani.

Pamiętacie, że Rodrick powierzył mamie filmowanie konkursu? No więc mama nakręciła całkiem przyzwoity film, ale gadała bez przerwy przez pierwsze dwie minuty, a kamera nagrała każdą jej uwagę.

Za każdym razem, kiedy Bill wywalał język i ruszał nim w górę i w dół jak prawdziwy rockman, słychać było komentarze mamy.

Mama przestała paplać dopiero podczas solówki Rodricka na bębnach. Tyle tylko, że kamera strasznie się trzęsła i właściwie niczego nie było widać.

Z początku Rodrick i jego kumple byli wściekli, ale potem któryś z nich przypomniał sobie, że szkoła zamówiła nagrania konkursu, które jutro pokażą na kablówce.

Czyli wszyscy tu wrócą, żeby TO zobaczyć.

Czwartek

W ciągu ostatnich kilku godzin wpadłem w niezłe bagno.

Dziś wieczorem Rodrick i jego kumple przyszli do domu około siódmej, żeby obejrzeć konkurs talentów w telewizji. Odsiedzieli bite trzy godziny, aż do swojego występu.

Nagranie było całkiem niezłe i wszystko wyglądało świetnie do momentu, kiedy Rodrick zaczął swoje solo.

Właśnie wtedy mama zaczęła tańczyć. A ten, kto kręcił film, zrobił na nią zbliżenie i tak już zostało do końca piosenki.

Oznaczało to, że Rodrick NIE miał czego wysłać do wytwórni płytowych. Strasznie go to wkurzyło.

Najpierw denerwował się na mamę, że niby wszystko zepsuła. Ale mama powiedziała mu, że jeśli nie chce, żeby ludzie tańczyli, to nie powinien grać muzyki.

Potem Rodrick wsiadł na MNIE. Oświadczył, że to wszystko moja wina, bo gdybym zgodził się filmować występ, nic złego by się nie stało.

Powiedziałem mu, że gdyby nie był takim palantem, to może i bym się zgodził.

Zaczęliśmy się na siebie wydzierać. Rodzice nas rozdzielili, a potem wysłali do swoich pokoi.

Ale kilka godzin później zszedłem na dół i wpadłem w kuchni na Rodricka. Uśmiechał się, więc od razu wiedziałem, że coś się święci.

Rodrick oświadczył, że moja „tajemnica się wydała".

Na początku nie skumałem, o co mu chodzi, ale potem zrozumiałem - Rodrick mówił o tym, co się stało w wakacje.

Zbiegłem do piwnicy i chwyciłem telefon Rodricka, żeby sprawdzić, czy gdzieś dzwonił. I oczywiście okazało się, że zadzwonił do KAŻDEGO kumpla, który ma brata albo siostrę w moim wieku.

Jutro rano WSZYSCY w szkole będą znali tę historię. No i Rodrick na bank mocno przesadził, żeby historia zabrzmiała jeszcze GORZEJ.

Skoro moja tajemnica już się wydała, chcę napisać, jak było NAPRAWDĘ, żebyście nie poznali tylko przekręconej wersji Rodricka.

Było tak:

W czasie wakacji Rodrick i ja musieliśmy spędzić kilka dni w mieszkaniu dziadka w Leisure Towers. Nie miałem tam co robić i odbiła mi szajba.

Tak mi się nudziło, że wygrzebałem swój stary dziennik i zacząłem w nim pisać. Ale pokazanie Rodrickowi zeszytu z napisem „pamiętnik" na okładce było WIELKIM błędem.

Rodrick zwinął mój dziennik i uciekł z nim. Pewnie pobiegłby do łazienki i zamknął się tam, gdyby ktoś nie zostawił na wierzchu planszy do „Rozśmieszaczy".

Porwałem zeszyt z podłogi, uciekłem na korytarz i zbiegłem po schodach. Potem schowałem się w ubikacji koło głównego holu i zamknąłem na zasuwkę drzwi do kabiny.

Podniosłem stopy, żeby Rodrick mnie nie znalazł, kiedy wejdzie do środka.

Wiedziałem, że gdyby dorwał mój dziennik, miałbym przerąbane. Dlatego postanowiłem podrzeć zeszyt na kawałeczki, wrzucić je do kibla i spuścić wodę. Lepiej było zniszczyć dziennik, niż ryzykować, że Rodrick położy na nim łapę.

Ale jak tylko zacząłem drzeć kartki, drzwi do łazienki się otwarły. Myślałem, że to Rodrick, więc zamarłem.

Ponieważ niczego nie usłyszałem, postanowiłem wyjrzeć nad ścianką kabiny, żeby sprawdzić, co jest grane. I wtedy zobaczyłem kobietę, która nakładała sobie makijaż przed lustrem.

Pomyślałem, że ta pani weszła pewnie przez pomyłkę do męskiej ubikacji, bo ludzie z Leisure Towers ciągle tak robią.

Już chciałem się odezwać i powiedzieć tej kobiecie, że weszła do złej łazienki, ale wtedy drzwi znowu się otwarły i weszła kolejna osoba. I wiecie co? To była JESZCZE JEDNA baba.

Zdałem sobie sprawę, że to ja się pomyliłem i wszedłem do DAMSKIEJ ubikacji.

Modliłem się, żeby te kobiety umyły ręce i poszły sobie, bo chciałem uciec, gdzie pieprz rośnie. Ale one siedziały w kabinach po obu moich stronach. A jak tylko któraś wychodziła z łazienki, na jej miejsce wchodziła następna. No i nie mogłem wyjść.

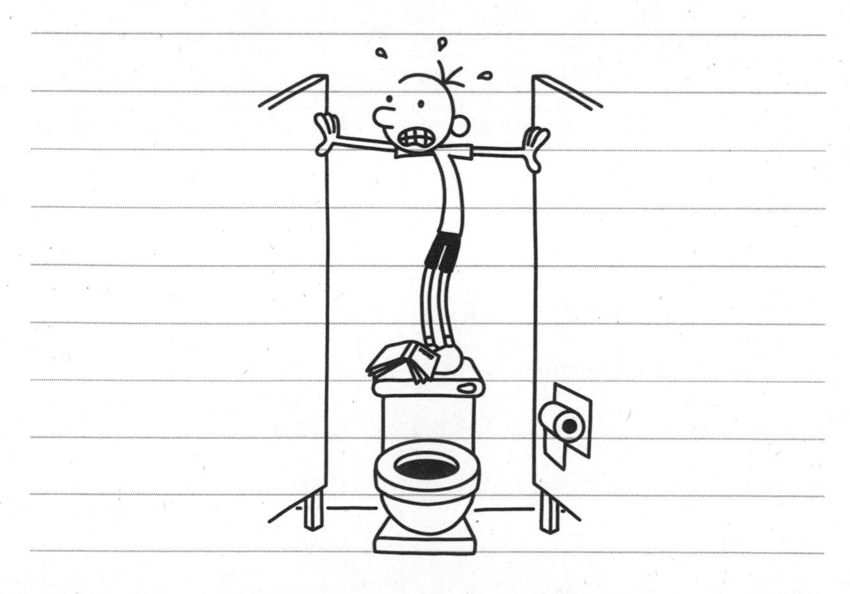

Jeśli Rowley uważa, że przeżył coś paskudnego, kiedy te dzieciaki kazały mu zjeść Ser, powinien dać się zamknąć w damskiej ubikacji w Leisure Towers i spędzić tam pół godziny.

W końcu ktoś mnie chyba usłyszał i zgłosił to w recepcji. Po kilku minutach cały budynek obiegła plotka, że w damskiej ubikacji siedzi podglądacz.

Zanim przyszedł ochroniarz, który mnie stamtąd wyniósł, wszyscy mieszkańcy Leisure Towers zdążyli się już zebrać w holu. A Rodrick zobaczył to wszystko w mieszkaniu na górze dzięki telewizorowi dziadka.

Teraz, kiedy mój sekret się wydał, nie mogłem pokazać się w szkole. Powiedziałem mamie, że musi przenieść mnie gdzieś indziej, i wyjaśniłem dlaczego.

Mama poradziła, żebym nie przejmował się tym, co myślą inni. Stwierdziła, że moi koledzy z klasy na pewno uznają moją przygodę za „zwykłą pomyłkę".

Jeszcze jeden dowód na to, że mama NIC nie wie o dzieciakach w moim wieku.

Pluję sobie w brodę, że przestałem pisać do Mamadou. Gdybym wciąż miał z nim kontakt, mógłbym pojechać do Francji w ramach wymiany uczniów i ukryć się tam na KILKA LAT.

Wiem jedno - szkoła jest ostatnim miejscem, jakie mam ochotę jutro widzieć. A wszystko wskazuje na to, że będę musiał tam pójść.

Piątek

Dzisiaj stało się coś ZWARIOWANEGO. Kiedy wszedłem do szkoły, okrążyła mnie grupka chłopaków. Przygotowałem się na kpiny, ale oni wcale mi nie dokuczali, tylko GRATULOWALI.

Wszyscy ściskali mi dłoń i klepali mnie po plecach. Nie miałem pojęcia, co jest grane.

Otaczało mnie tylu gości, którzy bez przerwy coś nawijali, że dopiero po chwili skumałem, o co chodzi. Musiało być tak:

znajomi Rodricka, którym mój brat opowiedział tę historię, przekazali ją swoim braciom i siostrom, a oni z kolei przekazali wszystko SWOIM znajomym.

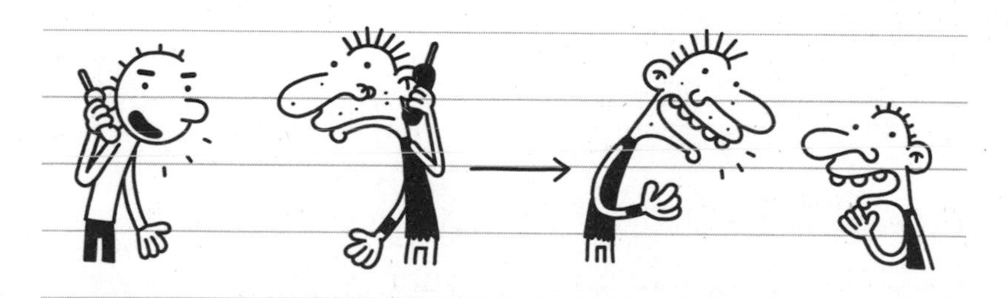

Ale w trakcie tego powtarzania kompletnie pozmieniały się szczegóły zdarzenia.

Zamiast mówić o tym, jak siedziałem w damskiej ubikacji w Leisure Towers, wszyscy opowiadali sobie, że podglądałem dziewczyny w szatni LICEUM CROSSLAND.

Nie mogłem uwierzyć, jak to wyszło, ale na pewno nie miałem zamiaru niczego prostować.

Zupełnie nagle stałem się bohaterem całej szkoły. Nadano mi nawet ksywkę. Ludzie nazywali mnie teraz „Zakradacz".

Ktoś zrobił mi nawet opaskę na głowę z takim napisem. Wierzcie mi, założyłem ją. Takie rzeczy NIGDY mi się nie zdarzają, więc nie chciałem przegapić swojej chwilowej sławy.

Pierwszy raz w życiu dowiedziałem się, jakie to uczucie być najpopularniejszym dzieciakiem w szkole.

Niestety, dziewczyny nie podziwiały mnie tak jak chłopaki. Mam przeczucie, że żadna nie będzie chciała pójść ze mną na zabawę walentynkową.

Poniedziałek

Pamiętacie, jak bardzo Rodrick chciał, żeby ktoś zwrócił uwagę na jego kapelę? Można powiedzieć, że jego marzenie się spełniło, bo teraz WSZYSCY wiedzą, czym jest Bródna Pieluha.

Ktoś najwyraźniej uznał, że kaseta z szalonym występem mamy na konkursie talentów to niezły ubaw, bo nagranie wylądowało w Internecie. I teraz wszyscy znają Rodricka Heffleya jako perkusistę z filmu „Roztańczona mama".

Od tego czasu Rodrick ukrywa się w piwnicy i czeka, aż cała sprawa przycichnie. Muszę przyznać, że trochę mi go żal.

Mnie też dokuczają trochę w szkole z powodu tego nagrania, ale ja w nim przynajmniej NIE WYSTĘPUJĘ.

I chociaż Rodrick zachowuje się czasem jak skończony palant, to jednak JEST moim bratem.

Jutro odbywa się kiermasz naukowy i jeśli Rodrick nie zgłosi jakiegoś projektu, wywalą go ze szkoły.

Dlatego zaproponowałem, że mu pomogę, ale to będzie ostatni raz. Pracowaliśmy razem przez całą noc i nie chciałbym się przechwalać, ale odwaliliśmy kawał dobrej roboty.

Mam nadzieję, że kiedy Rodrick dostanie jutro pierwszą nagrodę i zaliczenie z przedmiotu, zrozumie, jakim jest szczęściarzem, mając takiego brata jak JA.

PODZIĘKOWANIA

Jestem dozgonnie wdzięczny mojej rodzinie za inspirację, zachętę i wsparcie, niezbędne do napisania książek o Gregu Heffleyu. Dziękuję serdecznie moim braciom, Scottowi i Patowi, mojej siostrze Re oraz Mamie i Tacie. Bez Was nie byłoby Heffleyów. Dziękuję mojej żonie Julie oraz dzieciom. Wszyscy oni wiele poświęcili, abym mógł spełnić swoje marzenie i zostać rysownikiem. Dziękuję też moim teściom, Tomowi i Gail, którzy zawsze pomagali mi, kiedy próbowałem dotrzymać terminu.

Składam podziękowania wspaniałym ludziom w wydawnictwie Abrams, szczególnie Charliemu Kochmanowi, niewiarygodnie oddanemu wydawcy i cudownemu człowiekowi, oraz wszystkim innym pracownikom, z którymi miałem przyjemność pracować najbliżej: Jasonowi Wellsowi, Howardowi Reevesowi, Susan Van Metre, Chadowi Beckermanowi, Samarze Klein, Valerie Ralph i Scottowi Auerbachowi. Szczególne podziękowania należą się Michaelowi Jacobsowi.

Dziękuję Jessowi Brallierowi, który pomógł Gregowi Heffleyowi pojawić się na świecie – miało to miejsce na stronie Funbrain.com. Dziękuję Betsy Bird za to, że użyła swoich znacznych wpływów, by szerzyć wieści na temat *Dziennika cwaniaczka*. Dziękuję wreszcie Dee Sockol-Frye i wszystkim księgarzom, dzięki którym moje książki trafiły w ręce dzieci.

O AUTORZE

Jeff Kinney jest twórcą serii książek *Dziennik cwaniaczka*, numeru jeden na liście bestsellerów „New York Timesa". Czterokrotnie zdobył Nickelodeon Kids' Choice Award w kategorii Ulubiona Książka. Jest jednym ze Stu Najbardziej Wpływowych Ludzi Świata w rankingu „Time". Stworzył również serwis internetowy www.poptropica.com. Dzieciństwo spędził w Waszyngtonie, a w 1995 roku przeniósł się do Nowej Anglii. Obecnie mieszka z żoną i dwoma synami na południu Massachusetts, gdzie otworzył księgarnię An Unlikely Story.

Wydawnictwo NASZA KSIĘGARNIA Sp. z o.o.
05-075 Warszawa-Wesoła, ul. Apteczna 6
e-mail: naszaksiegarnia@nk.com.pl
tel. 22 643 93 89

Sprzedaż wysyłkowa: tel. 22 641 56 32
e-mail: sklep.wysylkowy@nk.com.pl

www.nk.com.pl

Książkę wydrukowano na papierze
Ecco Book Cream 70 g/m² wol. 2,0.

Redaktor prowadząca *Agnieszka Betlejewska*
Redakcja *Elżbieta Betlejewska*
Redakcja techniczna *Joanna Piotrowska*
Korekta *Magda Szroeder, Zofia Kozik*
Skład i łamanie *Mariusz Brusiewicz*

ISBN 978-83-10-13918-4

PRINTED IN POLAND

Wydawnictwo „Nasza Księgarnia", Warszawa 2022 r.
Druk: POZKAL, Inowrocław